WITHDRAWN

Заир

«София»
2005

Пауло Коэльо

Заир

УДК 821.134.3
ББК 84(70Бр)
    К76

Перевод с португальского А. Богдановского

Коэльо Пауло
К76 Заир / Перев. с португ. —
М.: ООО Издательский дом «София», 2005. — 384 с.

ISBN 5-9550-0656-7

Заир — это книга-исповедь человека, у которого бесследно исчезает жена. Он перебирает в уме все возможные варианты — похищение, шантаж, — но только не то, что Эстер могла уйти, не сказав ни слова, что она могла просто разорвать их отношения. Она раздражает его как никто другой, но вместе с тем вызывает чувство непреодолимой тяги. Какую жизнь она теперь ведет? Будет ли она счастлива без него?

Все его мысли заняты исчезновением Эстер. Он знает, что сможет справиться со своей одержимостью, только если ему удастся разыскать свою жену.

УДК 821.134.3
ББК 84(70Бр)

ISBN 5-9550-0656-7

Другие книги
Пауло Коэльо

Алхимик

Вероника решает умереть

Пятая гора

Дьявол и сеньорита Прим

Книга воина света

На берегу Рио-Пьедра села я и заплакала

Одиннадцать минут

Оглавление

Кто из вас, имея сто овец и потеряв одну из них, не оставит девяносто девяти в пустыне и не пойдет за пропавшею, пока не найдет ее?

Лк 15: 4

Когда встанет время отплыть в Итаку —
Помолись, чтоб долгим был путь,
И он будет мирным —
Потому что киклоп, лестригоны, Скилла
Не в морях, а в твоей душе.
Долгий путь,
Светлые заводи феаков,
Щедрые причалы финикян,
Мудрые беседы египтян,
А Итака — вдали,
Ждущая тебя старцем,
Просветленным, умудренным, богатым,
Ибо лишь для нее,
Каменистой, убогой, скудной,
Ты поплыл стать таким, как стал.

Констинтинос Кавафис (1863–1933)[*]

---

[*] Перевод М. Л. Гаспарова.

Посвящение

В машине я сказал, что завершил первый вариант моей книги — вот этой самой книги. А когда начали подъем на одну из гор в Пиренеях — на ту, которую оба считали священной и где нам случалось проживать необыкновенные минуты, — добавил: «Разве тебе не интересно узнать, о чем эта книга, как она называется?» Интересно, ответила ты, но боюсь спросить, хотя, когда узнала, что ты завершил работу, обрадовалась — очень обрадовалась.

И я сказал тогда, о чем эта книга и как она называется. Мы продолжали путь в молчании. Вокруг, слетая к нам с верхушек голых, лишенных листвы деревьев, шумел ветер, и от этого дуновения гора снова явила нам свое могущество, показала свою магию.

Потом пошел снег. Я остановился и вгляделся в это мгновение — в падающие хлопья, в свинцовое небо, в лес и в тебя рядом. Ты была рядом со мной, ты всегда рядом со мной.

Я хотел сказать тебе об этом, но решил дождаться, когда ты в первый раз перелистаешь эти страницы. Эту книгу я посвящаю моей жене — тебе, Кристина.

Автор

По утверждению писателя Хорхе Луиса Борхеса, понятие Заир связано с традицией ислама и возникло в XVIII веке. По-арабски оно означает нечто видимое, присутствующее, то, что не может остаться незамеченным. То, что, войдя однажды с нами в контакт, будет мало-помалу занимать все наши мысли до тех пор, пока не вытеснит все остальное. Это можно счесть святостью — или безумием.

Фобур Сен-Пер, «Энциклопедия фантастики», 1953

Я — свободен

Она: Эстер, военная корреспондентка, только что вернувшаяся из Ирака, где в любой миг могут начаться боевые действия. Тридцать лет. Замужем, детей нет.

Он: личность не установлена. По виду — 23–25 лет. Волосы темные, монголоидный тип лица.

В последний раз обоих видели в кафе на улице Фобур Сент-Оноре.

Полиция располагает сведениями о том, что они встречались и раньше, хотя остается неизвестным, сколько раз. Эстер всегда говорила, что этот человек — она называла его Михаил, но едва ли это его настоящее имя — очень важен для нее, хотя никогда не поясняла, в каком смысле: в профессиональном или в личном.

Начато расследование. Рассматриваются версии: похищение с целью выкупа, похищение и последующее убийство, что совершенно не удивительно, если учесть, что в силу своих профессиональных обязанностей, то есть для получения информации, Эстер неоднократно приходилось вступать в контакт с представителями террористических организаций. Установлено, что в течение нескольких недель, предшествующих ее исчезновению, она регулярно снимала со своего текущего счета значительные суммы денег. Можно предположить, что это связано с оплатой предоставляемых ей сведений. Вещи и одежда оставлены, но паспорт, как ни странно, не обнаружен.

Он: неизвестный, очень молод, нигде не зарегистрирован, никаких следов или примет, могущих установить его личность.

Она: Эстер, две международных премии по журналистике, тридцати лет, замужем.

Моя жена.

Меня тут же взяли под подозрение и задержали — поскольку я отказываюсь сообщить, где находился в день ее исчезновения. Но вот надзиратель открывает дверь камеры и сообщает, что я — свободен.

Почему же я свободен? Да потому что в наши дни всем все про всех известно, стоит лишь запросить информацию, как ее вам предоставят — где мы расплачиваемся кредитными карточками, где бываем, с кем спим. А в моем случае все еще проще: некая журналистка, подруга Эстер, разведенная — стало быть, может без проблем сообщить о наших с ней близких отношениях, — узнав, что меня арестовали, с готовностью подтвердила мое алиби. Она предоставила неоспоримые доказательства того, что была со мной в день исчезновения моей жены.

Я разговариваю с комиссаром — он возвращает мои вещи, извиняется, сообщает, что мой скоропалительный арест был произведен на законных основаниях и что у меня не может быть причин жаловаться или подавать иск на государство. Объясняю, что и в мыслях такого не держу, ибо знаю — любой и каждый находится под подозрением и круглосуточным наблюдением, даже если и не совершал ничего противозаконного.

— Вы свободны, — повторяет он слова надзирателя.

А в самом деле, осведомляюсь я, не могло ли чего-нибудь случиться с моей женой? Она ведь не раз говорила, что из-за своих обширных контактов с террористическим подпольем порою чувствовала за собой слежку.

Комиссар молчит. Я настаиваю, но он ничего мне не отвечает.

Спрашиваю, может ли она ездить по миру со своим паспортом? Отчего же нет — раз она не совершила никакого преступления, то имеет право в любой момент покинуть страну или вернуться сюда.

— Значит, не исключено, что ее уже нет во Франции?

— Вы полагаете, она бросила вас из-за того, что вы ей изменили?

Это вас не касается, отвечаю я. Комиссар, секунду помолчав и посерьезнев, говорит, что мой арест был необходим — таков порядок, — но по-человечески он мне очень сочувствует. У него тоже есть жена, и, хотя ему не очень нравятся мои книги (Ах, вот как! Он, оказывается, знает, кто я! Не такой невежда, каким кажется!), легко может поставить себя на мое место и понимает, как мне трудно.

Ну, и что я должен теперь делать? Он протягивает мне свою визитку — «если что узнаете, звоните» — знаю, знаю, видел в кино, и меня это не убеждает, полицейские всегда знают больше, чем говорят.

Он спрашивает, не случалось ли мне встречать того молодого человека, с которым в последний раз видели Эстер. Отвечаю, что знаю его имя — кличку, прозвище, псевдоним, — но лично с ним не знаком.

Он спрашивает, как складывалось наше супружество. Отвечаю, что мы с Эстер — уже десять лет вместе и что проблем у нас не больше и не меньше, чем у других пар, и это обычные проблемы.

Он спрашивает — со всевозможной деликатностью, — не было ли у нас в последнее время разговоров о разводе, не собиралась ли моя жена оставить меня. Отвечаю, что эта тема не возникала вовсе, хотя — и опять же как у всех супругов — случались время от времени и споры, и ссоры.

Время от времени или часто?

Я же ясно выразился, говорю я: «Время от времени».

Он спрашивает — еще деликатней, — подозревала ли Эстер о том, что я завел роман с ее подругой. Отвечаю, что переспал с ней в первый и последний раз в жизни. Какой там роман, тут и говорить не о чем, просто день выдался какой-то хмурый, скучный, и заняться после обеда было нечем, а игра в обольщение неизменно воскрешает нас к жизни, вот мы и оказались в постели.

— Вы оказались в постели, потому что день выдался хмурый?

Меня так и тянет сказать, что вопросы подобного рода выходят за рамки расследования, но мне надо заручиться поддержкой комиссара — и сейчас, и на будущее, — и ведь, в конце концов, невидимое учреждение под названием Банк Услуг всегда оказывалось мне очень полезно.

— Бывает. Женщина ищет сильных чувств, мужчина — приключений, и вот — пожалуйста... Наутро оба делают вид, будто ничего не произошло, и жизнь идет своим чередом.

Он благодарит, жмет мне руку, говорит, что в его мире все не так гладко. Есть и скука, и уныние, возникает и желание переспать с приглянувшейся тебе женщиной, однако воли своим чувствам давать не принято, и никто не делает того, о чем думает или чего хочет.

— Должно быть, у художников нравы куда свободней, — замечает он.

Я отвечаю, что мир, к которому он принадлежит, мне известен, но я не хочу углубляться сейчас в сравнения того, как по-разному мы с ним воспринимаем род людской. И в молчании жду, когда он сделает следующий ход.

— Кстати о свободе... вы можете идти, — говорит комиссар, немного разочарованный тем, что писатель продолжать беседу с полицейским отказывается. — Теперь, после личного знакомства с вами, прочту ваши книги: я сказал, что они мне не нравятся, но, по правде говоря, я их не читал.

Не в первый и, надо думать, не в последний раз слышу я эту фразу. Что ж, по крайней мере, у меня появился еще один читатель. Прощаюсь и выхожу.

Итак, я — свободен. Из тюрьмы выпустили, жена исчезла при загадочных обстоятельствах, на службу к такому-то часу приходить не надо, я общителен, знаменит, богат, и если Эстер в самом деле меня бросила, ей очень скоро отыщется замена. Я — свободен и независим.

Но что есть свобода?

Мне следовало бы понимать смысл этого слова, потому что большую часть своей жизни я был свободы лишен. С детства отстаивал я свободу, добивался ее как самого главного сокровища. Боролся с родителями, которые хотели, чтоб я стал не писателем, а, например, инженером. Боролся с одноклассниками, которые с самого начала пытались сделать меня мишенью для своих мерзких шалостей, и лишь после того, как много крови было пролито из носу у них и у меня, после того, как мне частенько приходилось прятать от матери полученные в драке царапины и синяки — ибо свои проблемы каждый должен решать сам, без посторонней помощи, — овладел я искусством сносить трепку без слез. Боролся за то, чтобы получить работу, которая бы меня прокормила, и устроился в магазин скобяных изделий, чтобы избавиться от пресловутого семейного шантажа: «Мы дадим тебе денег, но ты обязан будешь делать то-то и то-то».

Боролся — хоть и не одолел в этой борьбе — за девочку, которую любил в отрочестве и которая любила меня; в конце концов она поверила родителям, твердившим, что у меня нет будущего, и мы расстались.

Боролся с «агрессивной средой» журналистики: мой первый хозяин заставил меня три часа ожидать приема, а внимание на меня обратил лишь после того, как я начал рвать в клочки книгу, которую он читал: взглянув на меня с изумлением, он увидел перед собой человека, способного проявить упорство и дать отпор врагу, а эти качества совершенно необходимы хорошему репортеру. Боролся за идеалы социализма и загремел в тюрьму, вышел оттуда и продолжал бороться и чувствовал себя героем, отстаивающим права рабочего класса, — но тут услышал «*Beatles*» и решил, что рок намного интересней Маркса. Боролся за любовь своей первой, и второй, и третьей жены. Боролся за то, чтобы обрести смелость расстаться с первой, со второй и с третьей, потому что любовь минула, а я должен был идти вперед, чтобы найти ту единственную, которая явилась в этот мир для встречи со мной, — ни первая, ни вторая, ни третья ею не были.

Боролся, чтобы решиться бросить работу в газете и приняться за рискованное предприятие — начать свою книгу, зная при этом, что в моей стране литературой прожить невозможно. От этой затеи я отказался через год, сочинив больше тысячи страниц, казавшихся мне абсолютно гениальными по той причине, что даже я сам не понимал написанного.

И покуда я боролся, люди вокруг меня с жаром говорили о свободе, и чем больше защищали они это единственное в своем роде право, тем глубже увязали в рабстве — одни были рабами родителей, другие — супружеского союза, при заключении коего обещали оставаться вместе «до гробовой доски», рабами режима и строя, рабами званых обедов с теми, кого не желаешь видеть. Рабами роскоши, и видимости роскоши, и видимости видимости роскоши. Рабами жизни, которую не сами себе выбрали, но которой вынуждены были жить, ибо кто-то долго убеждал и наконец убедил их, что так будет для них лучше. И вот так тянутся для них дни и ночи, неотличимые друг от друга, и слово «приключение» можно лишь прочесть в книжке или услышать с экрана неизменно включенного телевизора, а когда оно возникает перед ними в нежданно распахнувшейся двери, говорят: «Неинтересно. Не хочу».

Да откуда ж им знать, хотят они или нет, если даже ни разу не попробовали?! Но что толку вопрошать — на самом деле они страшатся любых перемен, способных встряхнуть привычный уклад.

Комиссар сказал: «Вы свободны». Да, я свободен и сейчас, и был свободен за решеткой, потому что по-прежнему выше всего на свете ставлю свободу. Да, разумеется, это заставляло меня порой пить вино, которое приходилось мне не по вкусу, делать то, что оказывалось не по нраву и чего я впредь делать не стану; и от этого на теле моем и на душе — множество шрамов, и я сам наносил людям раны — пришло время, когда я попросил у них прощения, ибо с течением времени понял: я могу делать все что угодно, кроме одного: не дано мне заставить другого человека следовать за мной в моем безумии, в моей жажде жизни. Я не жалею о перенесенных страданиях, я горжусь своими шрамами, как гордятся боевыми наградами, я знаю, что цена свободы высока — так же высока, пожалуй, как цена рабства, и разница всего лишь в том, что ты платишь с удовольствием, с улыбкой, пусть даже эта улыбка — сквозь слезы.

Я выхожу из дверей полицейского участка. Погожий воскресный день, но солнце не в силах разогнать мрак у меня на душе. Мой адвокат поджидает меня на улице с букетом в руке, со словами утешения на устах. Он говорит, что обзвонил все больницы, все морги (каждый из нас поступает таким образом, когда кто-то из близких не возвращается домой к определенному часу), но Эстер не обнаружил. Говорит, что благодаря его стараниям журналисты не пронюхали, где я сижу. Еще говорит, что нам следует обсудить ситуацию, выработать стратегию, которая защитит меня от тяготеющих надо мной обвинений. Я благодарен ему за внимание, хоть и знаю, что дело вовсе не в стратегии, а просто он не хочет оставлять меня в одиночестве, потому что понятия не имеет, какой фортель я способен буду выкинуть (напьюсь и снова попаду в полицию? Устрою скандал? Попытаюсь покончить с собой?). Отвечаю, что у меня много важных дел и что он не хуже меня знает: никаких проблем с законом не возникнет. Адвокат настаивает, я не уступаю — ведь, в конце концов, я — свободен.

Свободен. Свободен пребывать в отверженности и одиночестве.

Беру такси, еду в центр, прошу остановиться у Триумфальной арки. Иду по Елисейским полям в сторону отеля «Бристоль», где мы с Эстер пили горячий шоколад всякий раз, когда кто-нибудь из нас возвращался из-за границы. Это сделалось своего рода ритуалом — мы дома, мы погружаемся в любовь, которая нас соединяет, хотя жизнь с каждым днем все сильней разводит по разным дорогам бытия.

Шагаю дальше. Прохожие улыбаются, дети радуются, что вдруг, в разгар, можно сказать, зимы на несколько часов нагрянула весна, плавно движется поток машин и все вроде бы в порядке, если не считать одного обстоятельства — никто в этом городе не знает, или делает вид, что не знает, или это просто никому не интересно, что я только что потерял жену. Что же они, в самом деле не понимают, как мне тяжко?! Все должны испытывать печаль и сострадание к человеку, чья душа кровоточит от любви, а они продолжают смеяться, они по-прежнему барахтаются в своих мелких и никчемных жизнях, ликуя оттого, что настал уик-энд.

Забавная мысль: у многих из тех, кто идет мне навстречу, тоже душа в клочьях, а я не знаю, почему или как они страдают.

Захожу в бар купить сигарет, и бармен отвечает мне по-английски. Захожу в аптеку за любимыми мятными пастилками, а девушка за стойкой говорит со мной по-английски. А ведь в обоих случаях я обращался к ним по-французски. Неподалеку от моего отеля меня останавливают двое парней — только что из Тулузы, — они ищут нужный им магазин, расспрашивают всех подряд, но никто не понимает, что они говорят. Что случилось? За сутки, проведенные мною в камере, на Елисейских полях сменился язык?

Индустрия туризма и деньги способны творить чудеса, но как же я не замечал этого раньше? Видимо, дело в том, что мы с Эстер давно уже не пили горячий шоколад в этом отеле, хотя много раз уезжали и возвращались. Всякий раз оказывалось, что есть более важное дело. Всякий раз на это время назначена бывала встреча, которую отменить невозможно. Ничего, любимая, в следующий раз мы непременно выпьем нашего шоколаду, возвращайся поскорей, ты ведь знаешь, как важно для меня это интервью, я не могу встретить тебя в аэропорту, возьми такси, мой сотовый включен, звони, если что-нибудь срочное, а если нет — вечером увидимся дома.

Мобильник! Я достаю его из кармана, нажимаю кнопку, и он сразу же начинает звонить, и от каждой трели у меня замирает сердце, и на дисплее я читаю имена тех, кому я нужен, но не соединяюсь ни с кем. Господи, хоть бы высветилось «абонент не установлен», и тогда я пойму, что это ты, потому что мой номер знают человек двадцать, не больше, и они клятвенно пообещали никому его не передавать. Нет, не высветилось — все это номера друзей или коллег. Должно быть, хотят узнать, что случилось, чем помочь (чем? и как?), не надо ли мне чего-нибудь.

А телефон звонит. Ответить? Встретиться с кем-либо из этих людей?

Нет. Пока не пойму, что происходит, останусь один.

Я вхожу в «Бристоль». Эстер, помнится, всегда говорила, что это — один из немногих парижских отелей, где к клиентам относятся как к гостям, а не как к бездомным бродягам. Со мной здороваются сердечно и приветливо, я выбираю столик напротив красивых часов, слушаю пианиста, гляжу в сад за окном.

Следует рассуждать здраво, рассмотреть варианты. Жизнь продолжается. Велика важность — жена бросила!

Не я первый, не я последний. Но отчего же это случилось в такой ясный день, когда люди на улицах улыбаются, дети что-то распевают, весна подает о себе первые весточки, солнце светит и водители тормозят перед «зеброй»?!

Беру салфетку. Все, что крутится в голове, я сейчас распишу по пунктам на бумаге. Сантименты — в сторону, надо определиться. Итак:

А. Допустим, что Эстер в самом деле похищена и ее жизни грозит опасность. Я — ее муж, ее спутник в горе и радости, должен горы свернуть, но отыскать жену.

Ответ: она забрала свой паспорт. А кроме него — о чем полиции не известно — кое-что из мелочей и футляр с изображениями своих святых: она всегда возит его с собой, когда уезжает. И сняла деньги со счета.

Вывод: к отъезду она готовилась.

Б. Допустим, что Эстер поверила в какое-то обещание, то есть позволила заманить себя в ловушку.

Ответ: она много раз попадала в опасные ситуации — они были частью ее работы. Но всегда предупреждала меня об этом, поскольку я был единственным человеком, которому она могла доверять полностью и безоговорочно. Она сообщала, где будет, с кем намерена встретиться (чтобы не ставить меня под удар, чаще всего, правда, называла условное имя) и что мне надлежит делать в том случае, если к такому-то сроку не вернется.

Вывод: она не предполагала встречаться ни с кем из своих информаторов.

В. Допустим, что Эстер встретила другого мужчину.

Ответ: нет ответа. Но из всех прочих гипотез только эта имеет значение. И я не могу принять ее, не могу поверить, что моя жена вот так взяла да ушла, даже не сказав, почему уходит. Мы с нею всегда гордились тем, что все трудности встречаем вместе. Страдаем, мучаемся, но никогда не врем друг другу — хотя, по правилам игры, просто не упоминаем наши увлечения на стороне. Да, я заметил, что после знакомства с этим Михаилом она сильно переменилась, но это еще не повод рвать десятилетние супружеские узы.

Ну, пусть даже влюбилась в него, переспала с ним, но неужели, прежде чем решиться на такой бесповоротный шаг, она не положила на другую чашу весов все, что мы пережили вместе, все, чего достигли? Она была вольна ездить по всему миру, она была окружена солдатами, изголодавшимися по женщине, и я никогда ни о чем ее не спрашивал, а она ничего мне не говорила. Мы оба были свободны и гордились этой свободой.

Однако же Эстер исчезла. Исчезла, оставив тайный, мне одному видимый знак: «Я ушла».

Почему?

Стоит ли отвечать на этот вопрос?

Нет. Ибо в самом вопросе уже скрыта моя неспособность удержать рядом с собой любимую женщину. Стоит ли разыскивать ее, чтобы убедить вернуться? Умолять, выклянчивать еще один шанс для нашего брака?

Какая нелепость — уж лучше страдать, как страдал я раньше, когда те, кого я любил, бросали меня. Страдать и зализывать раны. Сколько-то времени я буду неотступно думать об Эстер, буду упиваться горечью, буду раздражать своих друзей тем, что говорить со мной можно только об этом. Я буду пытаться объяснить, оправдать случившееся, буду по минутам вспоминать жизнь, проведенную рядом с нею, а потом приду к выводу, что она поступила со мной жестоко, тогда как я старался изо всех сил. Появятся другие женщины. На улице в каждой встречной мне будут мерещиться черты Эстер. Я буду страдать днем и ночью, ночью и днем. И так будет продолжаться неделями, месяцами, и займет, наверно, чуть больше года.

Но вот в одно прекрасное утро я проснусь и поймаю себя на том, что думаю о другом, и пойму — худшее позади. Рана в сердце, сколь бы тяжкой ни была она, затянется, ко мне вернется способность постигать красоту жизни. Так бывало раньше, так, я уверен, произойдет и на этот раз. Недаром сказано: «Если один уходит, то для того, чтобы дать место другому» — и я вновь встречу любовь.

А пока можно посмаковать мой новый статус — ведь я теперь холостяк-миллионер. Могу ухаживать за кем пожелаю, никого не стесняясь. Могу вести себя на вечеринках так, как никогда прежде не позволял себе. Слухом земля полнится, и уже очень скоро многие женщины — юные и не первой молодости, богатые и не очень, умные или, по крайней мере, достаточно образованные для того, чтобы сказать то, что, по их мнению, мне приятно будет услышать, — постучат в мою дверь.

Хочу верить, что это прекрасно — быть свободным. Снова быть свободным. Готовиться к встрече с истинной любовью, с любовью на всю жизнь, с той, кто ждет меня и никогда не заставит вновь пережить нынешнее унижение.

Допиваю шоколад, смотрю на часы, сознавая, что рановато еще предаваться приятному ощущению того, что я снова составляю часть человечества. На мгновенье я тешу себя мечтой о том, что Эстер вот сейчас появится в дверях, пройдет по этим дивным персидским коврам, молча сядет рядом, закурит, устремит взгляд за окно, сожмет мою руку. Проходит полчаса, полчаса я верю в только что выдуманную мной историю, а потом понимаю, что это — очередная игра воображения.

Я решаю домой не возвращаться. Подхожу к стойке портье, прошу дать мне номер, зубную щетку, дезодорант. Отель переполнен, но управляющий ухитряется предоставить мне прекрасный «люкс» с видом на Эйфелеву башню. Крыши Парижа. Светятся окна — семьи собираются за воскресным обедом. Ко мне возвращается ощущение, испытанное не так давно на Елисейских полях — чем прекрасней все вокруг, тем более отверженным я себя ощущаю.

Никакого телевизора. Никакого ужина. Я сижу на террасе и окидываю мысленным взором свою жизнь, — жизнь человека, который с юности мечтал стать знаменитым писателем, а потом вдруг увидел, что реальность разительно отличается от мечты: он пишет на языке, на котором почти никто не читает, ибо в его стране, как утверждают, вообще нет читателей. Родители настаивают, чтобы он поступил в университет («да не все ли равно, сынок, в какой — лишь бы получить диплом, а без диплома ты в жизни не пробьешься»). Он бунтует, становится хиппи, странствует по свету, встречает некоего музыканта, пишет тексты для его песен и неожиданно начинает зарабатывать куда больше своей сестры, которая слушалась папу с мамой и стала инженером-химиком.

Я сочиняю новые и новые стихи, певец пользуется все большим успехом, покупаю несколько квартир, ссорюсь с певцом, но это уже не страшно — у меня достаточно денег, чтобы несколько лет прожить не работая. Первый брак: жена старше меня: я многому учусь у нее — и тонкостям секса, и английскому, и тому, что утро может начинаться далеко за полдень. Но дело кончается разводом, ибо, по ее мнению, я — «существо эмоционально незрелое и не пропускаю ни одной грудастой девчонки». Женюсь во второй, потом в третий раз — я доверяю этим женщинам, я обретаю с ними душевное равновесие, но, достигнув того, чего хотел, сознаю, что это вожделенное равновесие сопровождается тоской и скукой.

Еще два развода. И снова — свобода, вернее, ощущение свободы, ибо она — не в отсутствии обязательств, а в возможности выбирать — перед кем лучше всего эти обязательства нести.

Продолжаю искать любовь и сочинять стихи. Когда меня спрашивают, кто я, отвечаю — писатель. Когда мне говорят, что знают лишь тексты моих песен, отвечаю, что это — лишь часть моего творчества. Когда собеседник, извинившись, сообщает, что не читал моих книг, отвечаю —

я работаю над неким проектом. Это ложь. На самом деле у меня есть и деньги, и связи, нет лишь одного — отваги написать книгу, ибо моя мечта с течением времени стала неосуществимой. Если я попробую и провалюсь, то не буду знать, как прожить после этого остаток жизни, так что лучше лелеять свою мечту, чем взять и своими руками загубить ее.

Однажды я давал интервью некой журналистке — ее интересовало, как это так получается, что мое творчество известно по всей стране, а меня не знает никто, ибо «светился» в СМИ только мой певец. Она была красива, умна, немногословна. Вскоре мы опять встретились на какой-то вечеринке, и, раз уж она была «не при исполнении», я попытался в тот же день затащить ее в постель. Я влюбился, а она считала, что я — «под дозой». Отказ. Телефон неизменно оказывается занят. Чем упорней она сопротивляется, тем сильней меня к ней влечет. И вот наконец мне удается уговорить ее провести со мной уик-энд в моем загородном доме (бунтарь, изгой, паршивая овца, однако же единственный из всех моих друзей обзавелся к тому времени подобием виллы).

Трое суток мы провели с глазу на глаз. Смотрели на море, я стряпал, она рассказывала мне всякие забавные случаи из своей журналистской практики и вот в конце концов влюбилась в меня. Вернулись в город, она стала регулярно ночевать у меня. Как-то утром она ушла раньше обычного, а вернулась со своей пишущей машинкой: с этого дня, без объяснений и признаний, мой дом стал превращаться в ее дом.

Пошли обычные и привычные споры и ссоры — как и всем ее предшественницам, ей хочется стабильности, верности, а я вечно ищу приключений и новых неизведанных ощущений. Но на этот раз наша связь оказалась длительной, и все же спустя два года мне показалось, что наступило время ей перевезти обратно свою машинку и все прочие вещи.

— Думаю, это будет правильно.

— Но ведь ты меня любишь, и я тебя люблю. Разве не так?

— Не знаю. Если спросишь, хорошо ли мне с тобой, я отвечу: «Да». Но если спросишь, смогу ли я жить без тебя, я отвечу то же самое.

— Я никогда не жалела, что не родилась мужчиной, мне нравится быть женщиной. В конечном счете все, чего вы требуете от нас, это умение сносно готовить. А вот мы требуем от мужчин всего, всего решительно — чтобы добычу приносил, и любовником был, и защищал, и оберегал, и кормил, и чтобы при этом был человеком успешным.

— Не о том речь — я сам себя вполне устраиваю. Мне хорошо с тобой, но я уверен, что ничего из этого не получится.

— Тебе хорошо со мной, а с самим собой — не очень. Ты неустанно ищешь приключений, чтобы отвлечься от чего-то важного. Тебе нужно постоянно впрыскивать в кровь адреналин, ты забываешь, что в жилах должна течь кровь — и ничего больше.

— Я не отвлекаюсь от важного. Да и что, по-твоему, важно?

— Написать книгу.

— Я могу взяться за это хоть сейчас.

— Вот и возьмись. Потом, если захочешь, мы расстанемся.

$\mathcal{E}$е подначка кажется мне полной чушью — я способен написать книгу в любой момент: у меня есть знакомые издатели, журналисты, люди, многим мне обязанные. Эстер боится меня потерять, этим все и объясняется. Довольно, говорю я, наши отношения подошли к концу, и речь не о том, что она считает, будто делает меня счастливым. Речь о любви.

А что такое любовь, спрашивает она. Больше получаса я распространяюсь на эту тему, а потом понимаю, что определить любовь не могу.

Что ж, говорит она, если не можешь определить, что такое любовь, попробуй написать книгу.

При чем тут книга? Что общего между книгой и любовью? Я сегодня же уйду отсюда, а она может оставаться здесь, сколько ей будет угодно. Я поживу в отеле, пока она не подыщет себе другое жилье. Отлично, говорит она, с ее стороны возражений нет, я могу идти хоть сию минуту, и не позднее, чем через месяц она отсюда съедет. Собирай чемоданы, а она пока почитает. Уже поздно, уеду завтра утром. Нет, она предлагает не тянуть и не откладывать, утром я могу потерять решимость. Ты так мечтаешь от меня избавиться, спрашиваю я. Со смехом она отвечает, что это моя инициатива. Мы идем спать, а утром мне уже не так сильно хочется уйти, я считаю, что должен все хорошенько обдумать. Эстер, однако, вовсе не считает, что вопрос исчерпан: подобные эпизоды будут повторяться, она будет несчастна и тогда в свой черед захочет бросить меня. Но только в этом случае намерение немедленно будет претворено в жизнь, и она тотчас сожжет за собой мосты. В каком смысле, спрашиваю я. Влюблюсь, заведу любовника.

Она уходит в свою редакцию, а я решаю устроить себе выходной (помимо сочинения текстов, я работаю в компании грамзаписи) и усаживаюсь за машинку. Потом встаю, листаю газеты, отвечаю на письма: сперва — на важные, а когда важных не остается — на все прочие. Записываю дела на завтра, слушаю музыку, слоняюсь по улицам моего квартала, завожу разговор с булочником, возвращаюсь домой. День прошел, а я не сумел выдавить из себя ни единой фразы. И прихожу к выводу о том, что ненавижу Эстер, которая заставляет меня делать то, что мне делать не хочется.

Вернувшись из редакции, она, ни о чем не спрашивая, уверенно говорит, что я ничего не написал, потому что взгляд у меня сегодня — такой же, как вчера.

Завтра буду работать, думаю я, но все же вечером вновь сажусь за письменный стол. Читаю, смотрю телевизор, слушаю музыку, опять возвращаюсь к машинке — и так проходят два месяца: стопа бумаги с «первой фразой» растет, а я не в силах завершить абзац.

Исчерпаны все мыслимые объяснения — в этой стране никто ничего не читает, я еще не придумал сюжет, я придумал превосходный сюжет, но пока не знаю, как следует развить его. Помимо всего прочего, я страшно занят — я сочиняю очередную статью или стихи для очередной песни. Проходит еще два месяца — и вот Эстер появляется на пороге, держа в руке авиабилет.

«Хватит, — произносит она. — Хватит притворяться, что ты занят, что ты ответственнейшим образом относишься к своим служебным обязанностям, что все человечество нуждается в том, что ты делаешь. Улетай на время».

Я могу стать главным редактором газеты, где время от времени печатаю репортажи; а могу — президентом компании, для которой мастерю тексты — и где меня держат потому лишь, что не хотят, чтобы переманили конкуренты. Я всегда могу вернуться и заняться тем же, чем занят сейчас. А вот мечта моя больше ждать не может. Надо либо исполнить мечту, либо позабыть ее.

И куда же мне лететь?

В Испанию.

Разбиваю несколько стаканов, доказывая, что билеты стоят дорого, что я не могу сейчас отлучиться, что это поставит под удар мою карьеру, что потеряю партнеров, что проблема не во мне, а в наших отношениях. Если я захочу написать книгу, никто и ничто не помешает мне.

«Ты можешь, ты хочешь, однако же не пишешь, — говорит она. — А поскольку, что бы ты ни утверждал, дело все-таки в тебе, будет лучше, если какое-то время ты побудешь один».

Она показывает мне карту. Итак, я долечу до Мадрида и там сяду в автобус, который отвезет меня в Пиренеи, на границу с Францией. Там начинается проложенная еще в Средневековье дорога — путь Сантьяго: ее придется одолеть пешком. В конечной точке меня будет ждать Эстер.

А сейчас она согласна со всем, что я говорю, — и что я разлюбил ее, и что еще недостаточно прожил, чтобы посвятить себя литературе без остатка, и что думать больше не желаю о том, чтобы стать писателем, и что все это — не больше чем отроческие мечты.

Да это просто бред какой-то! Женщина, с которой я связан уже два долгих года — целая вечность для романа! — решает за меня, определяет мою жизнь, заставляет меня бросить мою работу и пешком пересечь целую страну! К такому бреду следует отнестись серьезно. И несколько дней подряд я пью и напиваюсь, причем Эстер, которая терпеть не может спиртного, пьет вместе со мной. Я делаюсь зол и раздражителен, твержу, что она просто завидует моей независимости и что эта безумная идея появилась потому лишь, что я решил ее бросить. А она отвечает, что все зародилось, когда я еще ходил в школу и мечтал стать писателем, а теперь пришла пора делать выбор — либо я одолею себя, либо до конца дней своих так и буду жениться, разводиться, рассказывать чудные истории о своем прошлом — и опускаться все больше, падать все ниже.

Само собой разумеется, я не могу допустить, что Эстер права — хоть и знаю, что это так. И чем яснее я сознаю ее правоту, тем сильней злюсь. Она кротко сносит мои приступы — и только напоминает, что день отлета близится.

И вот однажды ночью, незадолго до вылета, она впервые отказала моим домогательствам. Я выкурил целую самокрутку с гашишем, опорожнил две бутылки вина и, так сказать, отрубился посреди комнаты. А проснувшись, понял, что достиг самого дна и теперь мне ничего не остается, как начать подъем на поверхность. И я, так гордившийся своей отвагой, сполна осознал, до чего же я трусливый, посредственный, косный человек. В то утро я разбудил Эстер поцелуем и сказал, что согласен.

Я улетел в Испанию и тридцать восемь дней шел по дороге Сантьяго. Прибыв в Компостелу, понял, что только теперь и начинается настоящее путешествие. Я решил обосноваться в Мадриде, живя на «авторские» и сделав так, чтобы между мною и плотью Эстер пролег океан — мы еще не разведены официально и по телефону говорим регулярно и довольно часто. Это удобно — быть женатым мужчиной, знающим, что может в любой момент вернуться в супружеские объятия, и при этом пользоваться всеми прелестями полной независимости.

Я последовательно увлекся сначала ученой каталанской дамой, потом аргентинкой, мастерившей ювелирные изделия, потом девушкой, певшей в метро. Отчисления продолжают поступать — и в количестве, достаточном для привольной и праздной жизни, так что времени у меня сколько угодно, хватит и на то, чтобы написать книгу.

Но книга может подождать до завтра, потому что мэр Мадрида решил, что город должен превратиться в сплошное празднество, придумал забавный слоган — «Мадрид меня мочит», — побуждает граждан кочевать всю ночь из бара в бар, и все так забавно, так интересно, дни коротки, а ночи — долги.

И в один прекрасный день мне звонит Эстер и сообщает, что собирается ко мне: по ее словам, мы должны наконец раз и навсегда выяснить отношения. Прилет ее назначен на следующую неделю, что дает мне возможность придумать целую цепь отговорок («Еду на месяц в Португалию», — говорю я девице, которая раньше пела в метро, а теперь живет в пансионе и каждый вечер вместе со мной наслаждается мадридским весельем). Я прибираю квартиру, уничтожая малейшие следы присутствия женщины, заклинаю приятелей не проболтаться: «Сами понимаете — жена приезжает».

По трапу сходит неузнаваемая — коротко и ужасно остриженная — Эстер. Мы едем по Испании, оглядывая маленькие городки, которые так много значат для одной ночи и которые забываешь, едва покинув. Посещаем бой быков и фламенко, я веду себя как самый образцовый супруг, ибо мне хочется, чтобы у Эстер создалось впечатление, будто я все еще ее люблю. Не знаю, зачем мне это надо — может быть, потому, что в глубине души она сознает: мадридский сон когда-нибудь кончится.

Я сетую, что мне не нравится ее новая прическа, и она, спустя какое-то время обретя свой прежний облик, вновь хорошеет. До конца ее отпуска остается всего десять дней, я хочу, чтобы у нее остались приятные воспоминания, а я останусь один в Мадриде, и все пойдет по-прежнему: коррида, дискотеки, начинающиеся в десять утра, нескончаемые разговоры об одном и том же, пьянство, женщины, и опять коррида, и опять женщины, и опять спиртное — и никаких, решительно никаких обязательств и обязанностей.

Как-то в воскресенье, по дороге в ресторанчик, открытый до утра, Эстер касается запретной темы — заговаривает о книге, которую я якобы сочиняю. Опорожнив бутылку хереса, задирая прохожих, пиная железные двери, я спрашиваю, стоило ли лететь в такую даль с единственной целью — превратить мою жизнь в кромешный ад? Она молчит, но мы оба понимаем: наш брак — на грани распада. Проспав всю ночь тяжелым сном без сновидений, а утром, высказав управляющему все, что я думаю по поводу скверно работающего телефона, а горничной — насчет того, что постельное белье не меняли уже неделю, приняв бесконечный душ, призванный облегчить мне похмелье, я сажусь за машинку, чтобы всего лишь продемонстрировать Эстер: я пытаюсь, я честно пытаюсь работать.

И внезапно происходит чудо: я гляжу на эту женщину, которая только что сварила кофе, а теперь перелистывает газету, на эту женщину, в чьих глазах застыла усталая безнадежность, — молчаливую, совсем не склонную выражать свою нежность словами или ласковыми прикосновениями, заставляющую меня произносить «да», хотя мне хочется сказать «нет», побуждающую меня бороться за то, что она — с полным на то основанием — считает смыслом моего существования, отказавшуюся от повседневного общения со мной, потому что она любит меня больше, чем самое себя, отправившую меня на поиски моей мечты. Я гляжу на эту тихую юную женщину — почти девочку, — чьи глаза говорят больше, нежели любые слова, на эту женщину, боязливую в душе и неизменно отважную в поступках, умеющую любить не унижаясь, не прося прощения за то, что она борется за своего мужчину, — и вот пальцы мои начинают стучать по клавишам.

Появляется первая фраза. За ней — вторая.

И двое суток я ничего не ем и сплю только по необходимости, а слова будто сами собой появляются неведомо откуда — так бывало раньше, когда я сочинял тексты для песен, когда после бесконечных перепалок и бессмысленных разговоров мы с моим напарником-композитором вдруг понимали: «Вот оно! Есть!» — и оставалось только занести находку на бумагу в виде слов или нот. Теперь я понимаю, что это «оно» рождается из сердца Эстер, и моя любовь воскресает: я пишу, потому что она существует, потому что перетерпела трудные дни, не жалуясь, не делая из себя жертву. И я начинаю рассказ о том единственном за все последние годы впечатлении, что по-настоящему встряхнуло меня — о пути Сантьяго.

С каждой новой страницей я все отчетливей сознаю, что мои взгляды на мир меняются. На протяжении многих лет я изучал и практиковал магию, алхимию, оккультизм; меня завораживала мысль о том, что кучка людей обладает невероятным могуществом, которым не может поделиться с остальным человечеством, ибо отдавать этот чудовищный потенциал в неопытные руки просто опасно. Я входил в тайные сообщества, был членом экзотических сект, покупал за баснословные деньги учебники и трактаты, тратил очень много времени на ритуалы и заклинания. Я то и дело переходил из одного общества в другое, гонимый мечтой найти наконец того, кто откроет мне тайны невидимого мира, и переживал горчайшее разочарование, уясняя для себя, что большинство этих людей, хоть и руководствуются самыми благими намерениями, следуют всего лишь той или иной догме и чаще всего превращаются в фанатиков, именно потому, что только фанатизм способен разрешить сомнения, беспрестанно томящие человеческую душу.

Я убедился, что многие магические ритуалы и в самом деле действуют. Однако убедился и в том, что люди, именующие себя магистрами, хранителями тайн бытия, утверждающие, что владеют техникой, позволяющей дать любому и каждому способность достичь желаемого, давно утратили связь с учением древних. Пройдя по Пути Сантьяго, общаясь с обычными людьми, открыв, что Вселенная говорит с нами на своем языке — знаками и знаменьями, — для понимания которого достаточно непредвзятым взглядом окинуть происходящее вокруг, я стал всерьез сомневаться, что оккультизм в самом деле единственный способ постижения всех этих чудес. И в книге о пройденном мною пути я заговорил об иных способах духовного роста, завершив повествование словами: «Надо всего лишь быть внимательным. Урок усваивается, когда ты готов к постижению, и, если ты обращаешь внимание на знаки и приметы, ты непременно поймешь, что необходимо для следующего шага».

Две трудные задачи стоят перед человеком — во-первых, знать, когда начать, во-вторых — когда закончить.

Спустя неделю я принялся за редактуру — первую, вторую, третью. Мадрид меня больше не мочит, пришло время возвращаться, я чувствую, что цикл завершился, и остро нуждаюсь в том, чтобы начать новый. Я прощаюсь с этим городом так же, как со всем в своей жизни, — держа в уме, что в один прекрасный день смогу передумать и вернуться.

Я возвращаюсь на родину вместе с Эстер, я уверен, что пора искать новую работу, но пока это не удается (а не удается, потому что нет необходимости), и я продолжаю править рукопись. Не думаю, что нормальному читателю будут интересны впечатления паломника, прошедшего по пути Сантьяго — трудному, но романтичному.

Прошло еще четыре месяца, и, готовясь переписать рукопись в десятый раз, я обнаруживаю, что ее нет. Впрочем, нет и Эстер. В тот миг, когда я уже готов был лишиться рассудка, на пороге с почтовой квитанцией в руке появляется моя жена. Оказывается, она отправила книгу своему бывшему возлюбленному, которому принадлежит маленькое издательство.

И бывший возлюбленный выпускает книгу в свет. В газетах — ни строчки, но несколько человек все же купили книгу. Прочли, посоветовали прочесть другим, а те — третьим. Так и пошло. Через полгода первое издание распродано. Через год книга выходит уже третьим изданием.

Я начинаю зарабатывать литературой, о чем никогда и не мечтал.

Я не знаю, сколько продлится этот волшебный сон, и решаю проживать каждый миг жизни так, словно он — последний. Тут я замечаю, что успех первой книги открывает мне дверь в тот мир, куда я так долго мечтал войти, — другие издательства намерены опубликовать мою следующую работу.

Да, но ведь я не могу каждый год проходить Путем Сантьяго — так о чем же мне писать? Боже, неужели опять начнется этот кошмар — опять сидеть за машинкой и делать все что угодно, кроме писания?! Нужно по-прежнему владеть искусством менять взгляд на мир и рассказывать о собственном опыте постижения жизни. Я пробую — иногда днем, а чаще ночью — и прихожу к выводу, что это невозможно. Но вот однажды вечером мне случайно (случайно ли?) под руку подвертывается «Тысяча и одна ночь», и одна из этих сказок кажется мне символом моей собственной жизни, помогающим постичь, кто я такой и почему так поздно принял решение, всегда ожидавшее меня. Я использую эту сказку как основу и сочиняю историю о некоем пастухе, пустившемся на поиски своей мечты — добывать сокровище, спрятанное где-то у египетских пирамид. Я пишу о любви, которая ждет его, как ждала меня Эстер, покуда я кружил по жизни.

Но теперь я уже не тот, кто мечтал кем-то стать, — я стал, я состоялся. Я — пастух, пересекающий пустыню, но где тот алхимик, который поможет мне двигаться дальше? Дописав эту книгу, я и сам не вполне понимаю, что у меня получилось — что-то похожее на волшебную сказку для взрослых, а взрослых больше интересуют войны, секс или рецепты того, как добиться власти. Тем не менее издатель соглашается, книга выходит, а читатели снова заносят ее в список бестселлеров.

Проходит три года — моя супружеская жизнь безоблачна, я занимаюсь тем, что мне по душе, появляется первый перевод, за ним — второй, и успех — медленно, но верно — приходит ко мне со всех четырех сторон света.

Переезжаю в Париж — там кафе, там писатели, там средоточие культуры. Выясняется, что ничего этого больше нет и в помине — кафе, благодаря развешанным по стенам фотографиям тех, кому обязаны они своей славой, превратились в заповедники для туристов; большинство писателей озабочены формой куда сильней, чем содержанием, они тщатся быть оригинальными, а становятся неудобочитаемыми, ибо наводят смертельную тоску. Они варятся в собственном соку, и я узнаю любопытное выражение: «*renvoyer l'ascenseur*», что в переводе с французского значит «отплатить той же монетой». То есть: я хвалю твою книгу, а ты — мою, мы с тобой создаем новое культурное пространство, совершаем революцию, творим новое философское мышление, страдая оттого, что нас никто не понимает, но, в конце концов, не таков ли удел всех гениев? Да, на то он и великий художник, чтобы оставаться непонятым своей эпохой.

Поначалу их тактика приносит свои плоды, ибо люди не решаются открыто бранить то, что им непонятно. Однако потом они сознают, что их обманывают, и тогда — отказываются верить критикам.

Интернет с его упрощенным языком очень способствует переменам в мире. И параллельный мир возникает в Париже: новые писатели стремятся к тому, чтобы их слова и их души были поняты. Я встречаюсь с этими новыми писателями в никому не известных кафе, потому что они еще не успели прославиться сами и прославить эти заведения. Я в одиночестве совершенствую свой стиль, а у своего издателя учусь «искусству сообщничества».

— *Ч*то такое Банк Услуг?

— Сам знаешь. Нет человека, которому бы это было неизвестно.

— Может быть, но я до сих пор не смог понять, что это значит.

— О нем было упоминание в книге одного американца. Это самый мощный банк с отделениями по всему свету.

— Я приехал из страны, где нет литературной традиции. Я никому не мог оказать услугу.

— Это не имеет ни малейшего значения. Вот тебе пример: я знаю, что ты — растешь и когда-нибудь станешь очень влиятельным человеком. Знаю, потому что сам был таким, как ты, — независимым, честолюбивым, честным. Сейчас я лишился былой энергии, но собираюсь поддержать тебя, ибо не могу или не хочу останавливаться, мечтаю не о пенсии, а о борьбе, то есть — о жизни, о власти, о славе. И я инвестирую в тебя, но кладу на твой счет не деньги, а полезные связи. Знакомлю тебя с нужными людьми, помогаю заключать сделки — законные, разумеется. И ты передо мной в долгу, хотя я никогда не намекну об этом...

— Но в один прекрасный день...

— Вот именно. В один прекрасный день я попрошу тебя о чем-нибудь, и ты вправе будешь отказать, но ведь ты *должен* мне. И ты выполнишь мою просьбу, а я буду по-прежнему помогать тебе, а люди узнают, что ты — надежный человек, и тоже начнут инвестировать в тебя — не деньгами, а связями, ибо миром нашим движут связи. Настанет день, и эти люди тоже тебя о чем-нибудь попросят, ты будешь уважать и поддерживать тех, кто помогал тебе, и с течением времени твоя сеть оплетет всю планету, ты познаешь все, что должен будешь познать, а влияние твое будет неуклонно возрастать.

— А если я откажусь выполнить просьбу?

— Что ж, это вполне возможно. Банк Услуг, как и всякий другой, осуществляет рискованные вложения. Ты откажешься, сочтя, что я тебе помогал, потому что ты этого заслуживал, потому что ты — единственный в своем роде и все мы обязаны признать твой талант. Что ж, я поблагодарю и обращусь к другому человеку, в которого тоже вкладывал. Но с этой минуты все будут знать — хоть я и словом об этом не обмолвлюсь, — что тебе нельзя доверять. И тогда ты реализуешься не больше чем на половину своих возможностей. В какой-то миг дела твои пойдут на спад: ты достигнешь середины, но не дойдешь до конца, ты будешь и доволен, и печален, тебя нельзя будет назвать неудачником, но и на человека, реализовавшего свой потенциал, ты не потянешь. Ты будешь ни холоден, ни горяч, а так, тепловат, а ведь сказано в одной священной книге, что это неприятно на вкус[*].

---

[*] Имеется в виду евангельский стих: «Но как ты тепл, а не горяч и не холоден, то извергну тебя из уст Моих» (Откр 3: 16).

На мой счет в Банке Услуг издатель положил немало. Связи крепнут и развиваются. Я одолеваю ученье, мои книги переводят на французский, и, по традиции, чужестранцу оказывают любезный прием. Но мало того — чужестранец имеет успех! Проходит десять лет, у меня — просторная квартира с видом на Сену, меня любят читатели и ненавидят критики (а ведь как носились со мной, пока тиражи не перевалили за первую сотню тысяч, и тогда сразу вывели меня из разряда «непонятых гениев»). Я гашу кредиты точно в срок и потому получаю прибыль — полезные связи. Мое влияние растет. Я учусь просить и учусь делать так, чтобы меня просили другие.

Эстер получает разрешение работать по своей специальности — журналисткой. Если не считать обычных в супружеской жизни стычек, все идет нормально. Впервые сознаю, что все мои разочарования и неудачи прежних лет не имели никакого отношения к моим любовницам и женам, но проистекали исключительно от горечи, переполнявшей мою душу. Простая истина открылась одной Эстер: чтобы найти ее, мне требовалось сначала найти самого себя. Мы восемь лет вместе, я считаю, что она и есть «женщина на всю жизнь», и, хотя время от времени (а по правде говоря, с завидной регулярностью) влюбляюсь я в женщин, пересекающих мой путь, мысль о разводе и в голову мне не приходит. Я даже не задаюсь вопросом, осведомлена ли Эстер о моих шашнях на стороне. Она по этому поводу не высказывается никогда.

И потому так безмерно мое удивление в тот день, когда, выйдя с женой из кинотеатра, я слышу, что Эстер предложила редакции своего журнала написать репортаж о гражданской войне в Африке.

— Что это значит?

— Это значит, что я хочу быть военным корреспондентом.

— Ты с ума сошла?! Зачем тебе это надо? Ты здесь занимаешься любимым делом, прилично зарабатываешь, хоть тебе и не нужны эти деньги. Благодаря Банку Услуг обзавелась полезными знакомствами. У тебя есть талант и уважение коллег.

— Ну, хорошо, тогда я хочу побыть одна.

— Это из-за меня?

— $\mathcal{M}$ы строим наши жизни вместе. Я люблю своего мужа, и он меня любит, хоть его и нельзя счесть образцом супружеской верности.

— Ты впервые заговорила об этом...

— Потому что для меня это не имеет особого значения. Что такое верность? Чувство обладания телом и душой, которые мне не принадлежат? А ты полагаешь, что я за все эти годы ни разу тебе не изменила?

— Мне это не интересно. Я не желаю об этом знать.

— Вот и я тоже.

— Ну, так при чем тут война в какой-то богом забытой стране?!

— Мне это нужно. Говорю же, мне это нужно.

— Чего тебе не хватает?

— У меня есть все, чего может пожелать женщина.

— Тебе кажется, что твоя жизнь идет не так?

— Вот именно. У меня есть все, но я несчастна. Но я не одна такая: за эти годы я повидала множество разных людей — богатых, бедных, могущественных, успешных, — и в глазах у каждого из них я видела бесконечную горечь. Печаль, в которой иногда человек самому себе не признается. Но она существует, что бы он ни говорил мне. Ты слушаешь меня?

— Да. Я пытаюсь понять. Так по-твоему, счастливых людей на свете нет?

— Одни кажутся счастливыми, но они просто никогда не думали на эту тему. Другие строят планы — выйду замуж, обзаведусь двумя детьми, построю дом и виллу... Покуда их мысли заняты мечтами, они — как быки, атакующие тореро: руководствуются инстинктом, мчатся вперед, не разбирая дороги. Вот они покупают себе вожделенную машину — пусть даже это будет «феррари» — и полагают в ней смысл жизни, и никогда не задают себе никаких вопросов. Но глаза выдают, что душу их тяготит тоска, даже если они сами об этом не подозревают. Ты вот счастлив?

— Не знаю.

— А я вот знаю. Люди придумывают себе занятия и отвлечения — сверхурочную работу, воспитание детей, замужество, карьеру, диплом, планы на завтра, беготню по магазинам, мысли о том, чего не хватает в доме и что надо сделать, чтобы было «не хуже, чем у других». И так далее. И очень немногие отвечали мне: «Я — несчастен», большинство предпочитали сказать: «Я — в полном порядке, я достиг всего, чего хотел». Тогда я задавала следующий вопрос: «Что делает вас счастливым?» Ответ: «У меня есть все, о чем только может мечтать человек, — семья, дом, работа, здоровье».

Я спрашивала: «Вам уже случалось задумываться о том, заполняет ли это жизнь без остатка?» Ответ: «Да, заполняет!» «Стало быть, смысл жизни — работа, семья, дети, которые вырастут и уйдут из дому, муж или жена, которые с годами неуклонно превращаются из возлюбленных в друзей. А работа когда-нибудь кончится. Что тогда?» Ответ: нет ответа. Заговаривают о другом. Но на самом деле это значит вот что: «Когда мои дети вырастут, когда муж — или жена — станет мне другом, когда я выйду на пенсию, у меня появится время делать то, о чем я всегда мечтал, — путешествовать». Вопрос: «Но ведь вы сказали, что счастливы — счастливы сейчас? Разве сейчас вы делаете не то, о чем мечтали всю жизнь?» Мне говорят, что очень заняты, и переводят разговор на другое.

Но если проявить настойчивость, всегда выяснится, что каждому чего-то не хватает. Предприниматель еще не провернул желанную сделку, матери семейства хотелось бы большей независимости или денег на расходы, влюбленный юноша боится потерять свою подружку, выпускник университета ломает голову над тем, сам ли он выбрал себе стезю или это сделали за него, стоматолог хочет быть певцом, певец — политиком, политик — писателем, писатель — крестьянином. И даже повстречав человека, который следует своему призванию, я вижу, что его душа — в смятении. В ней нет мира. Ну так вот, я повторяю свой вопрос: «Ты счастлив?»

— Нет. Я женат на той, кого люблю, я занимаюсь тем, о чем всегда мечтал, я обладаю свободой, которой завидуют все мои приятели. Путешествия, почести, лестные слова... Но вот в чем дело...

— Ну?

— Я чувствую, что если остановлюсь — жизнь утратит смысл.

— И ты не можешь перевести дыхание, взглянуть на Париж, взять меня за руку и сказать: «Я достиг, чего хотел, теперь будем наслаждаться жизнью, сколько бы ее ни было нам отпущено...»

— Я могу взглянуть на Париж, взять тебя за руку, а вот произнести эти слова — нет.

— Держу пари, что на этой улице все испытывают те же проблемы. Вот эта элегантная дама, только что прошедшая мимо, денно и нощно пытается остановить время, ибо думает, будто от этого зависит любовь. Взгляни на ту сторону — муж, жена и двое детей. Они переживают мгновения ни с чем не сравнимого счастья, выходя на прогулку, но в то же время подсознательно пребывают в ужасе и не могут отделаться от гнетущих мыслей: что с ними будет, если они потеряют работу, заболеют, лишатся медицинской страховки, если кто-то из их мальчиков попадет под машину?! Они пытаются развлечься и одновременно ищут способ освободиться от трагедий, защититься от мира.

— А нищий на углу?

— Этого я не знаю: никогда не говорила с ним. Он — живое воплощение несчастья, но глаза у него, как и у всякого нищего, что-то таят. Печаль в них — такая явная, что я не могу в нее поверить.

— Чего же им всем не хватает?

— Понятия не имею. Я часто листаю журналы с фотографиями звезд — все всегда так весело улыбаются, все счастливы... Но я сама замужем за знаменитостью и знаю, что это не так: на снимках они ликуют, но утром или ночью их мучают мысли: «Что сделать, чтобы опять появляться на страницах журнала?», или: «Как скрыть то, что мне не хватает денег для роскошной жизни?», или: «Как правильно распорядиться этой роскошью, как преумножить ее, как затмить с ее помощью других?», или «Актриса, которая вместе со мной смеется в объектив камеры, завтра уведет у меня из-под носа мою роль!», или «Я лучше одета, чем она? Почему мы улыбаемся, если нас презирают?», или «Почему мы продаем счастье читателям журнала, если глубоко несчастны мы сами — рабы славы?»

— Но мы — не рабы славы?

— Я ведь не о нас с тобой.

— Так что же все-таки случилось?

— Много лет назад я прочла одну книгу. Очень интересную. Предположим, Гитлер выиграл войну, уничтожил всех евреев в мире и убедил свой народ в том, что он в самом деле принадлежит к высшей расе. Переписываются труды по истории, и вот сто лет спустя наследникам Гитлера удается истребить всех индийцев до последнего. Проходит триста лет — и не остается ни одного чернокожего. Еще пятьсот — и вот могучая военная машина начинает сметать с лица земли азиатов. Учебники истории глухо упоминают о давних сражениях с варварами, но на это никто не обращает внимания — никому нет до этого дела.

И вот по прошествии двух тысяч лет от зарождения нацизма в одном из баров города Токио, уже пять веков населенном рослыми голубоглазыми людьми, пьют пиво Ганс и Фриц. И в какую-то минуту смотрит Ганс на Фрица и спрашивает его:

— Ты как считаешь, Фриц, всегда так было?

— Как — так? — уточняет Фриц.

— Ну, мир всегда был такой, как сейчас?

— Ну, ясное дело, всегда! Что за чушь тебе в голову лезет, — говорит Фриц.

И они допивают свое пиво, и обсуждают другие предметы, и забывают о теме своей беседы.

— Зачем так далеко заглядывать в будущее? Не лучше ли вернуться на две тысячи лет назад. Ты способна была бы поклоняться гильотине, виселице, электрическому стулу?

— Знаю, знаю, что ты имеешь в виду. Распятие — жесточайшую из казней, изобретенных человечеством. Помнится, еще Цицерон называл ее «отвратительной», ибо перед смертью казнимый на кресте испытывает чудовищные муки. И теперь, когда люди носят крестик на груди, вешают распятие на стенку в спальне, видя в нем только религиозный символ, они забывают, что это — орудие пытки.

— Или взять другое: двести пятьдесят лет должно было пройти, прежде чем кому-то пришла в голову мысль о том, что необходимо покончить с языческими празднествами, которые устраивались в день зимнего солнцестояния, когда солнце максимально удалено от земли. Апостолы и их преемники-последователи были слишком заняты распространением учения Христова — им и дела не было до древнеперсидского празднества в честь рождения солнца, празднества, устраиваемого 25 декабря. Но вот какой-то епископ счел, что оно представляет собой угрозу истинной вере — и готово! Теперь у нас служатся мессы, дарятся подарки, читаются проповеди и поются гимны, пластмассовых пупсов кладут в деревянные ясли, и все пребывают в совершенной и непреложной уверенности, что в этот день родился Христос.

— А вспомни елку! Знаешь, откуда она к нам пришла?

— Понятия не имею.

— Святой Бонифаций решил «христианизировать» ритуал в честь бога Одина: раз в год германские племена раскладывали вокруг дуба подарки, которые потом доставались детям. Язычники считали, что этот обряд тешит их суровое божество.

— Вернемся к Фрицу с Гансом: ты считаешь, что цивилизация, отношения между людьми, наши желания, наши завоевания — суть всего лишь скверно перетолкованная история?

— Но ведь ты, когда писал о Пути Сантьяго, пришел к этому же самому выводу? Разве не так? Ведь прежде ты был уверен, что значение магических символов внятно лишь кучке избранных, а теперь знаешь, что смысл этот открыт каждому из нас, просто мы его позабыли.

— Знаю, но это ничего не меняет: люди прилагают огромные усилия, чтобы не вспоминать его, чтобы не использовать огромный магический потенциал, которым наделены. Потому что это нарушило бы равновесие их обустроенных вселенных.

— И все же — неужто все обладают этой способностью?

— Все без исключения. Просто им не хватает отваги идти вслед за своей мечтой, внимать приметам и знакам. Не оттого ли и твоя печаль?

— Не знаю. Но я не утверждаю, будто постоянно чувствую себя несчастной. Я развлекаюсь, я люблю тебя, я обожаю свою работу. Но иногда мне и впрямь делается невыносимо грустно, и порой эта грусть сопровождается чувством вины или страха. Потом это проходит, но обязательно накатит вновь, а потом опять пройдет. Я вроде нашего с тобой Ганса — тоже задаю себе вопрос, а поскольку ответить не могу, то просто забываю о нем. Я ведь могла бы помогать голодающим детям, создать фонд спасения дельфинов или попытаться наставлять людей на путь истинный во имя Христа — словом, делать что-нибудь такое, благодаря чему я чувствовала бы себя нужной и полезной. Но — не хочу.

— А как пришла тебе в голову мысль отправиться на войну?

— Просто я поняла, что на войне, когда в любой момент ты можешь погибнуть, человек ведет себя иначе.

— Я вижу, ты хочешь ответить на вопрос Ганса?

— Хочу.

И вот сегодня, сидя в прекрасном номере отеля «Бристоль» с видом на Эйфелеву башню, которая целых пять минут сверкает и переливается всякий раз, как часовая стрелка совершает полный круг, — бутылка вина так и не откупорена, а сигареты кончились, — вспоминая, как люди приветствуют меня, словно ничего особенного не случилось, я спрашиваю себя: а не в тот ли день, при выходе из кинотеатра, все и произошло? Как мне следовало поступить тогда — отпустить Эстер на поиски смысла жизни или же проявить твердость и сказать: «Выбрось это из головы! Ты — моя жена, мне необходимо твое присутствие и твоя поддержка!»

Что за вздор. Я знал тогда, знаю и сейчас, что мне не оставалось ничего иного, как позволить ей делать что вздумается. Скажи я тогда: «Выбирай — или я, или работа военного корреспондента», то предал бы все, что Эстер сделала для меня. Да, меня немного смущал мотив — «поиски смысла жизни», — но я пришел к выводу: ей не хватает свободы, она нуждается в том, чтобы вырваться из привычного круга, испытать сильные, яркие чувства. Разве не так?

И я согласился, но, разумеется, предварительно разъяснив ей, что она берет крупный кредит в Банке Услуг (какая нелепость, если вдуматься!). И на протяжении двух лет Эстер вблизи наблюдала вооруженные конфликты — так это теперь называется — и меняла континенты, как перчатки. Всякий раз, когда она возвращалась, я думал: ну, все, теперь уж она бросит это занятие, сколько можно обходиться без нормальной еды, ежеутренней ванны, без театра и кино?! Я спрашивал, отыскала ли она ответ на вопрос Ганса, и неизменно слышал: «Пока нет, но я на верном пути» — и вынужден был примиряться. Порою она уезжала на несколько месяцев, но вопреки расхожим представлениям, разлука усиливала нашу любовь, показывая, как мы важны и нужны друг для друга. Наш супружеский союз, который, как мне раньше казалось, обрел после нашего переезда в Париж почти идеальные черты, делался все более гармоничным.

Как я теперь понимаю, Эстер познакомилась с Михаилом, когда собиралась в одну из стран Центральной Азии и искала переводчика. Поначалу она отзывалась о нем едва ли не восторженно, говоря, что он наделен даром чувствовать, что видит мир таким, каков он на самом деле, а не таким, каков он должен быть в навязываемых нам представлениях. Михаил был на пять лет моложе Эстер, но обладал опытом, который она определила как «магический». Я выслушивал все это терпеливо, как подобает хорошо воспитанному человеку, притворяясь, что неизвестный молодой человек и его идеи мне интересны, но на самом деле мысли мои были далеко — я перебирал в памяти неотложные дела, формулировал идеи, которые должны были появиться в тексте очередной книги, придумывал ответы на вопросы журналистов и издателей, прикидывал, как бы мне обольстить заинтересовавшуюся мною женщину, строил планы рекламных кампаний.

Не знаю, замечала ли она это. А вот я не заметил, с какого времени Михаил все реже упоминался в наших с

Эстер разговорах, а потом и вовсе исчез. А она мало-помалу стала вести себя очень независимо — даже когда была в Париже, несколько раз в неделю уходила по вечерам под неизменным предлогом, что готовит репортаж о нищих.

Я пришел к выводу, что у нее начался роман. Неделю промучился, решая для себя — надо ли поделиться с нею своими сомнениями или лучше сделать вид, что ничего не происходит? Остановился на втором варианте, исходя из принципа: «Чего не видел, того не знаешь». Я был непреложно убежден, что ей и в голову не придет оставить меня — она приложила столько усилий, чтобы я стал тем, кем стал, так неужели же теперь отказаться от всего ради мимолетной страсти?! Абсурд какой-то.

Если бы меня вправду интересовало творящееся в мире Эстер, то я хоть раз бы осведомился, как там поживает переводчик с его «магической чувствительностью». Меня должно было бы насторожить это умалчивание, это полное отсутствие сведений. Я должен был хоть однажды попросить, чтобы она взяла меня с собой, отправляясь готовить свои «репортажи».

А когда она время от времени спрашивала, интересно ли мне то, чем она занимается, я неизменно отвечал одно и то же: «Интересно, но я не хочу влезать в твои дела — ты должна свободно исполнять свою мечту, подобно тому как я с твоей помощью исполнил свою».

Разумеется, это свидетельствовало лишь о полном безразличии. Но поскольку люди всегда верят в то, чему хотят верить, Эстер удовлетворялась моей отговоркой.

Снова звучат у меня в ушах слова полицейского комиссара: «Вы — свободны». А что есть свобода? Возможность видеть, что твоего мужа ни капли не интересует то, что ты делаешь? Возможность ощущать одиночество, не имея возможности ни с кем поделиться сокровенным, ибо твой спутник жизни целиком и полностью сосредоточен на своей работе, на своем трудном, важном, великолепном занятии?

Я снова взглядываю на Эйфелеву башню — она вся сверкает и переливается, словно сделана из бриллиантов: значит, часовая стрелка совершила еще один оборот. Не знаю, в который раз происходило это, покуда я стою тут у окна.

Зато знаю, что во имя свободы нашего союза я пропустил тот миг, когда Эстер перестала упоминать Михаила.

Потом он вновь возник в некоем баре и вновь исчез, только на этот раз — вместе с нею, оставив знаменитого и преуспевающего писателя в качестве подозреваемого в совершении преступления.

Или — что еще хуже — в качестве брошенного мужа.

Вопрос Ганса

В Буэнос-Айресе Заир — это обычная монета достоинством в двадцать сентаво; на той монете навахой или перочинным ножом были подчеркнуты буквы N и T и цифра 2; год 1929 выгравирован на аверсе. В Гуджарате в конце XVIII века Захиром звали тигра; на Яве — слепого из мечети в Суракарте, которого верующие побивали камнями; в Персии Захиром называлась астролябия, которую Надир-шах велел забросить в морские глубины; в тюрьмах Махди году в 1892 это был маленький компас, к которому прикасался Рудольф Карл фон Слатин...[*]

Прошел год, и вот однажды я проснулся с мыслью об истории, рассказанной Борхесом: есть на свете такое — если прикоснешься к нему или увидишь его, оно будет занимать все твои мысли, пока не доведет до безумия. Мой Заир — это не романтические метафоры со слепцами, компасами, тиграми или медной мелочью.

У него есть имя, и имя его — Эстер.

Не успел я выйти из тюрьмы, как снимки мои появились на обложках скандальных журнальчиков: все статьи начинались одинаково — писали, что я могу быть замешан в совершении преступления, но, чтобы я не вчинил им иск за диффамацию, неизменно добавляли, что обвинения с меня сняты (можно подумать, что они были мне предъявлены!).

---

[*] Здесь и далее фрагменты рассказа Х. Л. Борхеса «Заир» приводятся в переводе Л. Синянской (*Хорхе Луис Борхес. Оправдание вечности.* М.: Ди-Дик, 1994).

Проходила неделя, издатели убеждались, что журнальчики бойко раскупаются. (Еще бы! Репутация у меня была безупречная, так что всем хотелось узнать о том, как это у писателя, чьи книги посвящены духовному миру человека, вдруг обнаружилось двойное — и такое зловещее — дно.) И начиналась новая атака: уверяли, что жена бросила меня, узнав о моих изменах; какой-то немецкий журнал прозрачно намекал на мою связь с одной певицей, лет на двадцать моложе меня, с которой якобы мы встретились в Осло (чистая правда, только дело-то все в том, что встреча эта произошла из-за Банка Услуг, по просьбе моего друга, и он был на том нашем единственном совместном ужине третьим). Певица уверяла, что между нами ничего не было (а раз не было, какого дьявола помещать на обложку фотографию, где мы сняты вместе?!), и не упустила случая сообщить о выходе своего нового альбома, использовав и меня, и журнал — для рекламы. И я до сих пор не знаю, объясняется ли ее провал тем, что певица прибегла к такому дешевому пиару (альбом, в сущности, был вовсе не так уж плох: все дело испортило ее интервью).

Однако скандал со знаменитым писателем продолжался недолго: в Европе, а особенно во Франции, супружеская неверность не только принимается, но и служит, пусть негласно, предметом восхищения. И кому же понравится читать о том, что завтра может случиться и с тобой тоже?!

И вскоре эта новость исчезла с первых полос и с обложек. Однако в предположениях недостатка по-прежнему не было: похищение, бегство из дому по причине дурного обращения (тут же помещено фото официанта, утверждавшего, будто мы часто спорили — и это правда: я припоминаю, как однажды мы с Эстер яростно сцепились из-за одного латиноамериканского писателя, ибо наши мнения о нем оказались диаметрально противоположны). Британский таблоид предположил — и хорошо еще, что это не вызвало сильного резонанса, — что Эстер, поддерживавшая террористическую исламскую организацию, перешла на нелегальное положение.

Но прошел еще месяц, и широкая публика позабыла про эту тему — и без нее переполнен наш мир изменами, разводами, убийствами, покушениями. Многолетний опыт учит меня, что подобными сенсациями моего читателя не отпугнуть, и он все равно сохранит мне верность (помню, как однажды аргентинское телевидение выпустило на экран журналиста, клявшегося, что располагает «доказательствами» того, что в Чили у меня была тайная встреча с будущей первой леди этой страны — и ничего: мои книги остались в списках бестселлеров). Сенсация создана, чтобы продолжаться пятнадцать минут, как сказал один американский актер. Меня заботило другое: надо перестроить жизнь, найти новую любовь, вновь начать писать и сохранить в потайном ящичке, спрятанном на границе между любовью и ненавистью, какую-либо память о моей жене.

Вернее — о моей бывшей жене: так будет правильней.

Отчасти сбылось то, о чем я думал в номере парижского отеля. Какое-то время я не выходил из дому: не знал, как взгляну в глаза друзьям и скажу — просто так: «Жена меня бросила, ушла к молодому».

Когда же наконец решился, никто меня ни о чем не стал спрашивать, однако после нескольких бокалов вина я сам почувствовал, что обязан дать друзьям отчет о случившемся, словно был наделен даром читать чужие мысли, словно полагал, что нет у них других забот, как беспокоиться о переменах в моей жизни, хотя все они — люди хорошо воспитанные, никаких вопросов задавать мне не будут.

И вот, в зависимости от того, с какой ноги вставал я в тот или иной день, делалась Эстер то святой, которая заслуживает лучшей участи, то двуличной и коварной изменницей, по чьей милости я влип в тяжелейшую ситуацию и едва не попал в преступники.

Друзья, знакомые, издатели, — словом, все те, кто оказывался за моим столом на бесчисленных торжественных ужинах, которые я был обязан посещать, поначалу слушали меня с любопытством. Но постепенно я стал замечать, что эта тема, прежде интересовавшая их, ныне уже не занимает их с прежней силой и они стараются завести речь о другом — об актрисе, убитой певцом, или о некоей совсем юной девице, сочинившей книгу о том, как она спала с известными политиками. В один прекрасный день — дело было в Мадриде — я заметил, что поток приглашений на всякого рода приемы и ужины стал скудеть, и, хоть мне нравилось облегчать душу, то втаптывая Эстер в грязь, то превознося ее до небес, все же начал понимать: я — кое-что похуже, чем обманутый муж, я — желчный раздражительный субъект, которого люди сторонятся.

И я решил отойти в сторонку и страдать молча, и конверты с приглашениями вновь стали заполнять мой почтовый ящик.

Однако *Заир*, о котором я вспоминал то с нежностью, то с досадой, продолжал расти в моей душе. Во всех встреченных мною женщинах мерещились мне черты *Эстер*. Я видел их в барах, в кино, на автобусной остановке, и не раз просил таксиста затормозить посреди улицы или ехать за какой-то женщиной, чтобы я мог убедиться — это не та, кого я ищу.

Заир занимал все мои помыслы, и я понял, что нуждаюсь в противоядии, в чем-то таком, что вывело бы меня из этого отчаянного положения.

Надо было завести любовницу.

Из трех-четырех заинтересовавших меня женщин я решил остановиться на Марии — тридцатипятилетней французской актрисе. Она — единственная — не говорила мне чепухи вроде: «Ты нравишься мне как человек, а не как знаменитость, с которой все мечтают познакомиться», или «Я бы хотела, чтобы ты не был так известен», или — еще хуже! — «Деньги меня не интересуют». Она — единственная — искренне радовалась моему успеху, поскольку сама была знаменита и знала, чего стоит популярность. Это — сильное возбуждающее средство, своего рода афродизиак. Быть рядом с мужчиной, чье имя — у всех на слуху, сознавая, что он выбрал из многих именно тебя, приятно щекочет самолюбие.

Нас теперь часто видели вместе на всяких вечеринках и приемах, о нас ходили слухи, которые мы не подтверждали и не опровергали, и фоторепортерам оставалось только застичь момент поцелуя — однако они этого не дождались, ибо и она, и я считали нестерпимой пошлостью подобные публичные зрелища. У нее шли съемки, у меня была моя работа; иногда я приезжал к ней в Милан, иногда она появлялась у меня в Париже, мы чувствовали, что близки, но не зависели друг от друга.

Мари делала вид, будто не знает, что у меня на душе. Я притворялся, что понятия не имею о том, что и она — женщина, способная заполучить любого, кто понравится, — страдает от несчастной любви к женатому мужчине, своему соседу. Мы сдружились, мы приятельствовали, мы вместе посещали разные увеселительные заведения, и рискну даже сказать, что между нами возникло нечто, напоминающее любовь — только какую-то особенную, совсем непохожую на ту, которую испытывал я к Эстер, а Мари — к своему избраннику.

Я снова стал раздавать автографы в книжных магазинах, участвовать в пресс-конференциях, появляться на благотворительных обедах и в телевизионных программах, поддерживать проекты для начинающих артистов. Одним словом, занимался чем угодно, кроме того, к чему был предназначен, — я *не писал*.

Впрочем, меня это не волновало: в глубине души я считал, что писательская моя карьера окончена, если уж рядом со мной больше нет женщины, которая заставила меня начать ее. Покуда длилось мое творчество, я рьяно и ревностно осуществлял свою мечту, и немногим посчастливилось достичь того, чего достиг я, а потому остаток жизни могу с полным правом посвятить развлечениям.

Такие мысли приходили мне в голову по утрам. А днем я понимал, что хочется мне только одного — писать. Когда же наступал вечер, я снова пытался убедить себя, что уже исполнил свою мечту и теперь следует попробовать чего-нибудь новенького.

Наступавший год был особым — так происходит всякий раз, когда день Святого Иакова, празднуемый 25 июля, выпадает на воскресенье. В кафедральном соборе Сантьяго Компостельского есть специальная дверь, которую не закрывают 365 дней в году: по традиции считается, что вошедший через нее во храм будет осенен благодатью.

В Испании затевались разнообразные, так сказать, мероприятия, и я, памятуя, как благотворно сказалось на мне паломничество, решил принять участие в одном, по крайней мере, — в январе в Стране Басков намечался «круглый стол». Чтобы разорвать ставшую привычной цепь: попытка писать — вечеринка — аэропорт — прилет к Марии в Милан — ужин — отель — аэропорт — Интернет — интервью — аэропорт, я решил проделать путь в 1400 километров в одиночку, на машине.

Все напоминает мне о моем *Заире* — даже те места, где я никогда не бывал раньше. Как интересно было бы Эстер взглянуть на это, думаю я, как бы ей понравилось в этом ресторанчике, как приятно было бы ей пройтись берегом этой речушки. Ночую в Байонне, и прежде чем уснуть, включаю телевизор и узнаю, что на французско-испанской границе из-за снежных заносов застряло около пяти тысяч автомобилей.

Первая моя мысль наутро — надо возвращаться в Париж. Причина более чем уважительная, и организаторы дискуссии поймут меня — дороги обледенели, пробки чудовищные, правительства Франции и Испании убедительно рекомендуют до конца недели не пользоваться автотранспортом, поскольку велик риск попасть в аварию. Положение еще хуже, чем вчера. Утренняя газета сообщает, что на другом отрезке магистрали застряло 17 тысяч человек, поднятые по тревоге части гражданской обороны пытаются доставить им продовольствие и одеяла, поскольку у многих машин уже кончилось горючее и, стало быть, не действует отопление.

В отеле мне объясняют, что если я ВСЕ ЖЕ ДОЛЖЕН ЕХАТЬ, если это — вопрос жизни и смерти, то ехать лучше в объезд, по узкой проселочной дороге. Это — лишних два часа, и никто не знает, в каком состоянии покрытие. Но я инстинктивно решаю двигаться по автостраде: что-то словно толкает меня вперед — на скользкий бетон, ко многим часам покорного стояния в пробках.

Может быть, это «что-то» — название городка, в который я направляюсь: Витория. Может быть, мысль о том, что я чересчур привык к комфорту и утратил способность принимать нестандартные решения в критических ситуациях. Может быть, энтузиазм людей, в эту самую минуту восстанавливающих кафедральный собор, построенный много столетий назад, — именно для того, чтобы привлечь внимание к их усилиям, и пригласили нескольких писателей на «круглый стол». А может быть, то самое, что заставляло конквистадоров повторять: «Плыть — необходимо, жить — не обязательно».

Вот я и плыву. Потратив много времени и много нервов, прибываю в Виторию, где меня ждут люди, нервничающие еще сильнее. Говорят, что подобного снегопада не было последние тридцать лет, благодарят за то, что я все же пробился, а теперь надо следовать официальной программе, которая включает в себя посещение собора.

Девушка с каким-то особым блеском в глазах начинает рассказывать мне его историю. Вначале была стена. Потом ее использовали для постройки часовни. Прошли десятки лет, и часовня превратилась в церковь. Минул еще век, и церковь стала готическим собором. Он познал мгновения славы, потом начал кое-где разрушаться, потом какое-то время пребывал в забросе, пережил не одну перестройку, исказившую его структуру, и каждое следующее поколение считало, что уж оно-то решило задачу, — и перекраивало первоначальные замыслы. И с течением лет тут пристроили стену, там убрали балку, где-то еще укрепили опоры, а витражи то закрывали, то открывали вновь.

Собор же перенес все.

Я прохожу вдоль его каменного остова — нынешние архитекторы уверяют, что нашли наилучшее решение. Повсюду металлические опоры и крепления, собор — в лесах, грандиозные планы на будущее, сдержанная критика того, что сделано предшественниками.

И вдруг, когда я остановился посреди центрального нефа, меня осенило: собор — ведь это же и я сам, и каждый из нас. Мы растем и меняем очертания, мы обнаруживаем в себе слабости и недостатки, требующие исправления, и не всегда находим наилучшее решение, но, несмотря ни на что, пытаемся стоять прямо и правильно, оберегая не стены, не окна и двери, но пустое пространство внутри — пространство, где мы лелеем и чтим все, что нам важно и дорого.

Да, это несомненно: каждый из нас — храм. Но что заключено в пустом пространстве моего храма?

Эстер. *Заир*.

Она заполняет его. Она — единственная причина того, что я еще жив. Я оглядываюсь вокруг и понимаю, почему сейчас я стою в центральном нефе, почему мчался по обледенелой автостраде и томился в пробках — для того, чтобы помнить, что надо ежедневно перестраивать себя; для того, чтобы — впервые в жизни — признать: *я люблю другого человека больше, чем самого себя*.

Возвращаясь в Париж — погода уже улучшилась, — я пребываю в некоем трансе: ни о чем не думаю, а лишь слежу за дорогой. Приехав, прошу прислугу никого ко мне не впускать и несколько ближайших дней пожить у меня, готова мне утренний кофе, обед и ужин. Я наступаю ногой на маленькое устройство, позволяющее выходить в Интернет, и вот уже остались от этого приборчика одни обломки. Я срываю со стены розетку телефона. А мобильник кладу в пакет и отправляю своему издателю с просьбой вернуть мне его не раньше, чем я сам лично приду за ним.

Неделю кряду я брожу по набережным Сены, а потом запираюсь у себя в кабинете. Так, словно стоящий за плечом ангел диктует мне, я пишу книгу — вернее, письмо, бесконечное письмо женщине моей мечты, женщине, которую люблю и буду любить всегда. Когда-нибудь эта книга попадет тебе в руки, но даже если этого не произойдет, я —

в ладу со своей совестью, с миром в душе. Больше я не сражаюсь со своей уязвленной гордостью, больше не отыскиваю Эстер на улицах и в барах, в кино и на приемах, в Марии и строчках газетной хроники.

Напротив — мне довольно самого факта ее существования: он показывает и доказывает, что я способен испытывать неведомую прежде любовь. Он осеняет меня благодатью.

Я принимаю *Заир*. Пусть ведет меня к святости или к сумасшествию.

Книга, названием которой стала строчка из Екклезиаста «Время раздирать и время сшивать», вышла в конце апреля. Через две недели она уже заняла первое место в списке бестселлеров.

Литературные критики, которые никогда со мной особенно не церемонились, на этот раз оказались просто беспощадны. Кое-что я вырезал и вклеил в тетрадь рядом со статьями, посвященными прочим моим книгам. Писали примерно одно и то же, менялось только заглавие:

«...мы живем в такие бурные и беспокойные времена, автор же, рассказывая любовную историю, снова заставляет нас бежать от действительности» (можно подумать, человек способен жить без любви);

«...короткие фразы, поверхностный стиль» (можно подумать, длинные фразы — свидетельство стилистической глубины);

«...автор открыл секрет успеха — маркетинг» (можно подумать, я родился в стране с богатой литературной традицией и обладал средствами для «раскрутки» своей первой книги);

«...хотя она будет раскупаться не менее успешно, нежели все предшествующие, это доказывает лишь то, что человек не готов воспринять окружающую нас трагедийную действительность» (можно подумать, критик знает, что это такое — готовность к трагедии).

Появилось, впрочем, и другое: к приведенным выше фразам рецензенты добавили кое-что новенькое — о том, например, что я, стремясь заработать как можно больше, использую прошлогодний скандал. Как всегда бывает, бранные отзывы только подогрели интерес публики. Мои верные читатели покупали книгу, а те, кто уже успел позабыть скандал с исчезновением Эстер, теперь вспомнили и поспешили обзавестись экземпляром, чтобы узнать мою версию происшедшего (а поскольку в книге об этом не было ни слова, а воспевалась любовь, они, надо думать, испытали разочарование и признали правоту критики). Издательства всех стран, где публиковались мои книги, немедленно купили права и на эту тоже.

А Мари, которой я отправил рукопись раньше, чем своему издателю, не обманула моих ожиданий: она не стала ревновать или пенять мне на то, что я, мол, открываю душу всем и каждому, а наоборот — одобрила меня и поддержала, и была ужасно рада успеху книги. В ту пору она читала труды одного мистика, никому почти неизвестного, и ссылалась на него в каждом нашем разговоре.

— Когда нас хвалят, надо особенно тщательно следить за своим поведением.

— Критики никогда меня не хвалили.

— Я говорю о читателях: ты получаешь от них неимоверное количество писем и в конце концов можешь уверовать, что ты — лучше, чем ты сам о себе думал, и тогда тебя охватит ложное чувство уверенности. Тебе покажется, что ты защищен от всего, а это очень опасно.

— По правде сказать, побывав в соборе, я в самом деле переменил мнение о себе к лучшему, и письма читателей тут ни при чем. Я, как это ни странно, обнаружил в своей душе любовь.

— Ну и прекрасно. Больше всего меня радует, что в своей книге ты ни разу не обвинил Эстер. И себя тоже.

— Я научился не тратить на это время.

— Вот и славно. Вселенная берет на себя труд исправлять наши ошибки.

— Ты считаешь, что исчезновение моей жены — нечто вроде «исправления»?

— Я не верю в целебные свойства страдания и трагедии — они случаются потому, что это часть нашего бытия, и потому не стоит воспринимать их как кару. Вселенная указывает нам на наши заблуждения, когда лишает нас самого важного — наших друзей. Если не ошибаюсь, именно это с тобой и происходит.

— Вот что я понял недавно: истинные друзья — это те, кто оказывается рядом, когда происходит что-то *хорошее*. Они радуются нашим победам. Ложные друзья появляются в трудные минуты и с печалью на лице демонстрируют, что они — «с нами», хотя на самом деле наше страдание служит им в их убогой жизни немалым утешением. В прошлом году, например, рядом со мной возникли люди, которых я никогда прежде не видел. Они желали меня «поддержать». Мне это ненавистно.

— Так бывало и со мной тоже.

— Я благодарен судьбе за то, что ты появилась в моей жизни, Мари.

— Рано благодарить: наши отношения еще не обрели ни прочности, ни достаточности. А я между тем подумываю, не перебраться ли мне в Париж. Или, может быть, попросить тебя пожить в Милане? И в том, и в другом случае на нашей работе это отразится не слишком сильно. Ты и так всегда работаешь дома, а я — в других городах. Обсудим это или поговорим о другом?

— Второе предпочтительней.

— Будь по-твоему. Знаешь, твоя книга написана очень смелым человеком. Больше всего меня поразило, что ты нигде, ни разу не даешь слова этому юноше.

— Он меня не интересует.

— Еще как интересует. Уверена, что ты нет-нет да и спросишь себя: «Почему она предпочла его?»

— Нет.

— Врешь. Я вот спрашиваю себя, почему мой сосед не разведется со своей женой — никчемной, с вечной улыбкой на лице, с вечными заботами о доме, о еде, о детях, о счетах. Я спрашиваю — значит, и ты тоже.

— Тебе хотелось бы, чтобы я сказал, что ненавижу его, — он увел у меня жену.

— Нет. Мне хотелось бы, чтобы ты его простил.

— На это я не способен.

— Это и вправду очень трудно. Но выбора нет: если не простишь — будешь постоянно думать о том, какое страдание он тебе причинил, и эта боль не пройдет никогда. Пойми, я вовсе не считаю, будто ты должен *любить* его. Я не говорю, что ты должен разыскать его. Я не предлагаю тебе сделать из него ангела. Как, кстати, его зовут? Какое-то русское имя, если не ошибаюсь.

— Не важно.

— Вот видишь?! Ты даже не хочешь осквернить уста его именем. Из суеверия?

— Ты хочешь знать, как его зовут? Пожалуйста — Михаил.

— Энергия ненависти неплодотворна. Энергия прощения, выраженного через любовь, способна преобразить твою жизнь.

— Знаешь, ты напоминаешь мне сейчас какого-то тибетского мудреца, чьи рассуждения очень хороши в теории, но неприменимы на практике. Не забывай — я много раз был ранен.

— Да, внутри тебя до сих пор живет мальчик, который плакал тайком от родителей и был самым слабым в классе. Ты до сих пор отмечен чертами того юноши, которому не давались спортивные достижения. Который не пользовался успехом у сверстниц. В твоей душе еще остались шрамы от того, как несправедливо обходилась с тобою жизнь. Ну и что в этом хорошего?

— Откуда ты знаешь, что все это было со мной?

— Да уж знаю. По глазам вижу. Еще раз говорю — ничего хорошего тебе это не принесло. Ничего, кроме постоянного желания жалеть себя, ибо ты становился жертвой тех, кто сильнее. Или метнуться в другую крайность — выступить в обличье мстителя, готового ранить еще сильней, чем ранили его самого. Тебе не кажется, что ты даром теряешь время?

— Мне кажется, что я веду себя как человек.

— Это так. Но не как человек умный и рассудительный. Береги время, отпущенное тебе на этом свете, помни, что Господь прощал,— прости и ты.

Оглядывая толпу людей, собравшихся в огромном супермаркете на Елисейских полях, чтобы получить мою книгу с автографом, я размышлял: скольким из них пришлось пережить то, что пережил я по милости Эстер?

Немногим. Одному-двоим. И все равно — большинство сочтет, что эта книга написана про них.

Писательство — дело одинокое. Мало найдется профессий, которые предполагали бы такое одиночество. Раз в два года я сажусь перед компьютером, вглядываюсь в неведомое море моей души, и вот, заметив в нем островки мыслей, требующих развития и исследования, всхожу на корабль под названием «Слово» и решаю плыть к ближайшему острову. Одолеваю течения, встречные ветры, шторма и шквалы, однако плыву на исходе сил, хоть и сознаю: я отклонился от курса, и остров, к которому я направлялся, больше не виден на горизонте.

Я сознаю это, но назад не поворачиваю — надо двигаться вперед, иначе я застряну посреди океана, и в этот миг перед глазами у меня проносится череда ужасающих картин: всю жизнь теперь я буду обречен вспоминать свои былые триумфы или желчно брюзжать по поводу молодых писателей, потому что мне не хватает отваги опубликовать новые книги. Но разве я не мечтал быть писателем? И, значит, должен ставить слово к слову, сочинять абзац за абзацем, главу за главой, писать до самой смерти, не давая успеху или провалу вогнать меня в столбняк. В противном случае жизнь моя потеряет всякий смысл — тогда уж лучше купить мельницу на юге Франции да возделывать свой сад[*]. Читать лекции — ведь это куда легче, чем писать? Удалиться от мира каким-нибудь замысловато-таинственным образом, оставив вместо себя легенду, которая будет тешить мою душу?

И вот под воздействием этих пугающих размышлений я обнаруживаю в себе силу и отвагу, о которых и не подозревал: они помогают мне дрейфовать в неведомую сторону моей души и в конце концов бросить якорь у желанного острова. Дни и ночи я описываю то, что предстает моему взору, спрашивая себя, почему я так поступаю, ежеминутно повторяя себе, что усилия мои напрасны, что мне больше никому ничего не надо доказывать, что я уже достиг всего, чего хотел, — да нет, гораздо большего: того, о чем и не мечтал.

Я замечаю, что все происходит в точности так же, как с первой книгой: просыпаюсь в девять с намерением выпить кофе и сразу же сесть за компьютер; читаю газеты, выхожу на прогулку, заглядываю в ближайший бар поговорить с людьми, возвращаюсь, гляжу на компьютер, вспоминаю, что надо позвонить туда-то и туда-то, гляжу на компьютер, а время уже к обеду, я ем, сокрушаясь при мысли о том, что должен был бы писать с одиннадцати утра, но теперь надо немного поспать, и просыпаюсь в пять, и вот наконец включаю компьютер, проверяю почту, выясняю, что не могу вый-

---

[*] Намек на повесть Альфонса Доде «Письма с моей мельницы» и знаменитую фразу вольтеровского Кандида: «Il fault cultiver son jardin».

ти в сеть, и что же остается, как не отправиться в ближайшее интернет-кафе, находящееся в десяти минутах ходьбы от моего дома, но неужели же перед этим, хотя бы для того, чтобы избыть чувство вины, я не смогу поработать хотя бы полчаса?!

И я начинаю писать — по обязанности, но вдруг увлекаюсь и уже больше не останавливаюсь. Прислуга зовет меня ужинать, я прошу не мешать и не отвлекать, через час она приходит снова, мне хочется есть, но — еще слово, еще строчку, еще страницу. Сажусь за стол, торопливо проглатываю простывшую еду и возвращаюсь к компьютеру — я больше не контролирую свои шаги, и остров появляется передо мной из мглы, меня тащит по его тропинкам, и я встречаю такое, чего никогда не видел, о чем никогда не мечтал. Кофе, потом еще кофе, и вот в два часа ночи останавливаюсь, потому что глаза устали.

Ложусь и еще больше часа записываю то, что может пригодиться в новом абзаце — и не пригождается, как показывает опыт, никогда: все эти заметки служат лишь для того, чтобы опустошить голову и заснуть. Обещаю самому себе, что завтра в одиннадцать утра вновь примусь за работу. И на следующий день все повторяется сначала — прогулки, беседы, обед, сон, чувство вины, досада на то, что связь не установить, попытки выжать из себя первую страницу и т. д.

Внезапно оказывается, что пролетели две, три, четыре, одиннадцать недель, я знаю, что уже недалеко финал, меня охватывает чувство пустоты, известное каждому, кто вкладывал в сочетания слов то, что лучше было бы хранить для себя. Но я должен дойти до последней фразы — и дохожу.

Когда прежде я встречал в биографиях писателей слова «Книга пишется сама, писатель лишь заносит ее на бумагу», мне казалось, что они приукрашивают свое ремесло. Сейчас я знаю, что это — чистейшая правда: никто не знает, почему течение вынесло его к этому острову, а не к тому, на который он стремился попасть. Начинаешь, как одержимый, править и вычеркивать, а когда не в силах больше читать по сто раз одно и то же, отправляешь рукопись издателю — пусть еще раз отредактирует и выпустит в свет.

И — к моему несказанному и непреходящему удивлению — другие люди, которые тоже искали этот остров, находят его в твоей книге. Один рассказывает другому, и вот протягивается звено за звеном таинственная цепь, и то, что писатель считал плодом своего затворнического труда, превращается в мост, в корабль, благодаря которым сердце, как говорится, сердцу весть подает.

И с этой минуты я уже не тот затерянный в бурном море человек: благодаря моим читателям я встречаюсь с самим собой, ибо понимаю написанное мною, лишь когда это поняли другие — никак не раньше. В те редкие мгновения, подобные тому, которое вот-вот наступит, я могу поглядеть кому-то из этих «других» в глаза и понять, что моя душа не одинока в этом мире.

$\mathcal{B}$ назначенный час я начал подписывать свои книги, лишь на мгновение встречаясь глазами с теми, кто протягивал мне свой экземпляр, но испытывая уважительную радость сообщника и единомышленника. Рукопожатия, письма, отзывы. Спустя полтора часа прошу дать мне десять минут передышки, и никто не выказывает недовольства, а мой издатель (по уже устоявшейся традиции) угощает шампанским всех, кто стоит в очереди за автографом. (Я пытался было распространить эту традицию и на другие страны, однако слышал в ответ, что французское шампанское очень дорого, так что приходилось ограничиваться стаканом минеральной воды, что, впрочем, тоже — знак внимания к ожидающим.)

Возвращаюсь за стол. Проходит два часа, но вопреки тому, что могли бы подумать наблюдающие за этой церемонией, я нисколько не устал, полон энергии и готов продолжать работу хоть всю ночь напролет. Но доступ в магазин прекращен, двери заперты, а внутри остается человек сорок, вот их уже тридцать... двадцать... одиннадцать... пять... четыре... три... два... — и наконец я встречаюсь глазами с последним.

— Я хотел дождаться конца. Мне надо вам кое-что передать.

Не знаю, что ответить. Издатели и книготорговцы ведут оживленный разговор, вскоре мы пойдем ужинать, пить после такой эмоциональной встряски, рассказывать о всяких забавных происшествиях, случившихся во время раздачи автографов.

Я никогда не видел этого человека, но знаю, кто это. Взяв у него экземпляр, пишу: «Михаилу — на добрую память».

Все это — молча. Боюсь спугнуть его — неосторожное слово, фраза, движение, и он скроется, исчезнет навсегда.

В долю секунды успеваю сообразить, что он — и только он — спасет меня от этого благословенного или проклятого наваждения, ибо этот человек — единственный, кто знает, где обретается ныне Заир, и я смогу наконец задать вопросы, которыми столько времени терзал себя.

— Хочу, чтобы вы знали: с нею все обстоит благополучно. И весьма вероятно, она прочла вашу книгу.

Мои спутники приближаются. Поздравляют меня, обнимают, говорят, что все прошло необыкновенно удачно. Теперь мы поужинаем, выпьем, отпразднуем успех, обменяемся впечатлениями.

— Я хочу пригласить вот этого читателя, — говорю я. — Он был в очереди последним, он будет представлять всех тех, кто был с нами здесь сегодня вечером.

— Не могу, — произносит он. — У меня встреча, которую нельзя отменить или перенести. — И, повернувшись ко мне, добавляет немного испуганно: — Я всего лишь должен был передать вам кое-что.

— А что именно? — спрашивает кто-то из книготорговцев.

— Наш автор никогда никого не приглашает! — говорит мой издатель.— Воспользуйтесь приглашением! Едем ужинать!

— Благодарю, но по четвергам я занят. У меня встреча.

— В котором часу?

— Через два часа.

— И где она должна состояться?

— В одном армянском ресторане.

Мой водитель — армянин по национальности — уточняет, в каком именно, и сообщает, что это всего лишь в пятнадцати минутах езды от нашего ресторана. Все стремятся сделать мне приятное, полагая, что, если я приглашаю кого-то, он должен быть польщен и растроган, а все прочие дела отложить.

— Как вас зовут? — спрашивает Мари.

— Михаил.

— Михаил, — говорит она, и я вижу, что она все поняла. — Поедемте с нами хотя бы на часок: ресторан, в который мы собираемся, совсем рядом. Потом шофер отвезет вас, куда захотите. А можно поступить иначе — отменим наш заказ и все вместе поужинаем в армянском ресторане: тогда вам не надо будет торопиться.

Я не свожу глаз с этого человека. Он не особенно красив, но и вовсе не безобразен. Не высок, но и не приземист. Одет во все черное, просто и элегантно — а под элегантностью я понимаю полное отсутствие «лейблов».

Мари подхватывает Михаила под руку и ведет к выходу. В магазине еще осталась целая пачка книг для тех, кто не смог прийти, но я обещаю подписать эти экземпляры завтра. Ноги у меня дрожат, сердце бухает в груди, а нужно делать вид, что все обстоит прекрасно, что я всем доволен, что с интересом выслушиваю те или иные замечания. Мы пересекаем Елисейские поля, за Триумфальной аркой садится солнце, и я, сам не умея объяснить почему, понимаю — это знак, причем добрый знак.

Почему же мне так нужно поговорить с ним? Мои спутники — сотрудники издательства — о чем-то спрашивают меня, я отвечаю машинально, никто не замечает, что я — далеко отсюда и в толк никак не возьму, почему я окажусь за одним столом с человеком, которого должен бы ненавидеть. Потому что хочу знать, где находится Эстер? Потому что хочу отомстить этому юноше — такому растерянному, такому неуверенному в себе и однако же сумевшему разлучить меня с любимой женщиной? Потому что хочу доказать себе самому, что я лучше, гораздо лучше, чем он? Потому что хочу очаровать его, подчинить своей воле, чтобы он убедил Эстер вернуться?

У меня нет ответа ни на один из этих вопросов, да и все это вообще не имеет ни малейшего значения. До сих пор я произнес единственную фразу: «...хочу, чтобы он поужинал с нами...» Сколько раз я воображал себе нашу встречу — представлял, как хватаю его за горло, бью кулаком, унижаю на глазах у Эстер: пусть видит, что я не только страдаю, но и сражаюсь за нее. Много чего я представлял себе — и мордобой, и притворное безразличие, — однако ни разу не пришли мне в голову слова: «...хочу, чтобы он поужинал с нами...»

Зачем спрашивать себя, что я намерен делать дальше, — все, что мне следует делать, это наблюдать за Мари, которая идет в нескольких шагах впереди под ручку с Михаилом, будто его возлюбленная. Она не дает ему уйти, но почему же она помогает мне — ведь знает, что встреча с этим юношей может открыть мне местонахождение Эстер?

Пришли. Михаил делает попытку сесть подальше от меня: должно быть, хочет избежать разговора под шумок общего застолья. Весело. Шампанское, водка и икра, я смотрю в меню и с ужасом вижу: только закуски обошлись владельцу книжного магазина почти в тысячу долларов. Идет общий разговор, Михаила спрашивают, как понравилась ему презентация. Очень понравилась. А книга? Книга тоже очень ему понравилась. Потом про него забывают, и внимание переключается на меня — спрашивают, доволен ли я организацией вечера, хорошо ли действовала охрана. Сердце у меня по-прежнему колотится, но я не показываю вида, благодарю за все, рассыпаюсь в похвалах и самому замыслу, и тому, как его осуществили.

Полчаса беседы, сопровождаемой большим количеством водки, и я замечаю — Михаил уже не так напряжен, как раньше. Он — не в центре внимания, ему ничего не надо говорить: можно посидеть еще немного и уйти. Знаю — он не солгал насчет армянского ресторана, и теперь у меня есть след. Значит, моя жена — по-прежнему в Париже! Я стараюсь быть с ним любезным, стараюсь завоевать его доверие, и вот — первоначальное напряжение исчезает.

Проходит еще час. Михаил смотрит на часы: собирается уходить. Мне надо что-то сделать, причем немедленно. Каждый раз, когда я взглядываю на него, он представляется мне все более и более ничтожным и незначительным, и я все меньше понимаю, как могла Эстер променять меня на человека, который кажется столь далеким от действительности (помнится, она что-то упоминала о его «магических дарованиях»). Мне трудно будет изображать непринужденность, разговаривая с тем, кого считаю своим врагом, но что-то надо сделать.

— Надо бы нам побольше узнать о нашем читателе, пока он еще здесь, — говорю я, и за столом немедля воцаряется тишина. — Скоро ему уходить, а он так ничего и не рассказал о своей жизни. Чем вы занимаетесь?

Михаилу, хоть он немало выпил, удается собраться.

— Устраиваю встречи в армянском ресторане.

— То есть?

— То есть рассказываю со сцены разные истории. А потом заставляю делать это тех, кто сидит в зале.

— В своих книгах я делаю то же самое.

— Знаю. Именно это и сблизило меня с...

Сейчас он еще скажет с кем!

— Вы родились здесь? — перебивает его Мари, не давая окончить фразу («...сблизило меня с вашей женой»).

— Нет. Я родился в степях Казахстана.

Казахстан! Кто осмелится спросить, где это?

— А где это — Казахстан? — осведомляется кто-то из присутствующих.

Блаженны не боящиеся показать свое незнание.

— Я ждал этого вопроса, — и в глазах Михаила мелькнуло подобие улыбки. — Через десять минут после того, как я назову свою родину, со мной заговаривают о Пакистане, об Афганистане... Моя страна находится в Центральной Азии. В ней всего 14 миллионов жителей, а площадь во много раз превосходит Францию с ее 60 миллионами.

— Иными словами, там никто не жалуется на скученность, — со смехом замечает мой издатель.

— В течение всего двадцатого столетия там вообще никто не имел права жаловаться ни на что. Во-первых, когда коммунисты отменили частную собственность, все поголовье скота оказалось брошено в степях, и 48,6 % жителей погибли от голода. Представляете? В 1932–33 годах почти половина населения вымерла.

За столом повисает молчание. Но поскольку трагедии омрачают атмосферу нашего празднества, кто-то из присутствующих пробует заговорить о другом. Однако я требую, чтобы «читатель» продолжал рассказ о своей стране.

— На что похожа степь?

— Это огромные равнины, на которых почти ничего не растет. Разве вы не знаете?

Да знаю, конечно. Просто настал мой черед спросить что-либо для поддержания разговора.

— Я кое-что вспоминаю, — говорит мой издатель. — Не так давно мне прислали рукопись одного тамошнего писателя. Книга была посвящена ядерным испытаниям в степи.

— На земле нашей страны — кровь, и в душе ее — тоже. Она изменила то, что менять нельзя, и вот уже несколько поколений моего народа расплачиваются за это. Мы умудрились уничтожить целое море.

Тут вмешивается Мари:

— Никто не может уничтожить море.

— Я живу на свете двадцать пять лет, и уже на моей памяти воды, существовавшие на протяжении тысячелетий, превратились в пыль. Наши коммунистические правители решили изменить течение рек Аму-Дарьи и Сыр-Дарьи, чтобы они орошали хлопковые поля. Цели своей они не достигли, но было уже слишком поздно — море исчезло, а возделанная земля стала пустыней. Отсутствие воды привело к изменению климата. Мощнейшие пыльные бури ежегодно приносят по 150 тысяч тонн соли и песка. Пятьдесят миллионов человек в пяти странах пострадали от этого безответственного и необратимого решения советских бюрократов. Оставшаяся вода загрязнена и стала источником всякого рода болезней.

Я отмечал про себя все, что он говорил, — может пригодиться для каких-нибудь лекций. Михаил же продолжал, и я понял, что речь уже не об экологии, а о настоящей трагедии:

— Мне рассказывал дед, что в старину Аральское море называлось Синим из-за цвета воды. Теперь воды там нет вовсе, но люди не хотят оставлять свои дома и перебираться на новое место: они все еще мечтают о волнах, о рыбах, они все еще хранят удочки и снасти и разговаривают о лодках и наживке.

— А насчет ядерных взрывов — это правда? — допытывался мой издатель.

— Думаю, что все, кто родился в моей стране, знают, что пережила их земля — она вся в крови. Сорок лет подряд наши степи сотрясались от взрывов атомных и водородных бомб, а прекратились испытания лишь в 1989 году, и к этому времени было взорвано 456 зарядов. Из них 116 — в атмосфере, и совокупная сила этих зарядов в две с половиной тысячи раз превосходит мощность бомбы, сброшенной на японский город Хиросиму во время Второй мировой войны. В результате многие тысячи людей пострадали от радиоактивного заражения и таких его последствий, как рак легких, а многие тысячи детей родились умственно или физически неполноценными — проще говоря, уродами.

Он взглянул на часы:

— Прошу прощения, но мне пора.

Половина из тех, кто сидел за столом, огорчилась — разговор принял новый и интересный оборот. Другая половина была явно обрадована: зачем портить такой веселый вечер трагическими историями?!

Михаил делает общий поклон, а меня обнимает. Но не потому, что испытывает ко мне особо теплые чувства, а чтобы шепнуть на ухо:

— С ней все в порядке. Не беспокойтесь.

— Он еще смеет мне говорить: «Не беспокойтесь!» Действительно, чего мне беспокоиться из-за того, что меня бросила жена?! Меня таскали в полицию, мое имя трепали в желтой прессе, я места себе не находил, я растерял всех своих друзей и...

— ...и написал «Время раздирать и время сшивать». Прошу тебя, мы с тобой — взрослые люди, не вчера родились. Так что не будем себя обманывать. Разумеется, ты очень хотел знать, как поживает Эстер. Более того — ты хотел ее увидеть.

— Если ты знала это, то зачем подстроила, можно сказать, мою встречу с этим Михаилом? Теперь у меня есть зацепка: каждую неделю по четвергам он выступает в армянском ресторане.

— Вот и хорошо. Сделай следующий шаг.

— Ты меня не любишь?

— Больше, чем вчера, меньше, чем завтра, — как написано на почтовой открытке, которые мы покупаем в писчебумажных магазинах. Нет, я люблю тебя. Сказать по чести, я без ума от тебя, я подумываю о том, чтобы круто изменить жизнь, о переезде в Париж, в эту вот огромную и необжитую квартиру, но как только я завожу об этом речь, ты меняешь... тему. И все же я забываю о своем самолюбии и обиняками даю тебе понять, как важно нам быть вместе, но слышу, что рано, и думаю, что ты боишься потерять меня, как потерял Эстер, или просто ждешь ее

93

возвращения, или слишком дорожишь своей свободой. Тебе одинаково страшно и остаться в одиночестве, и быть со мной. Короче говоря, полное сумасшествие. Но раз уж ты спросил, отвечу: я очень люблю тебя.

— Тогда зачем ты это сделала?

— Потому что не могу бесконечно находиться рядом с тенью женщины, которая ушла от тебя безо всяких объяснений. Я прочла твою книгу. И верю, что лишь после того, как ты найдешь Эстер и распутаешь этот узел, твое сердце будет по-настоящему принадлежать мне. Именно так произошло с моим соседом: мы были близки настолько, что я получила возможность убедиться, как трусливо он ведет себя со мной, как страшится добиться желанного, ибо считает, что это слишком опасно. Ты много раз говорил, что абсолютной свободы не существует: есть лишь свобода выбора, а сделав выбор, ты становишься заложником своего решения. Чем ближе я была к своему соседу, тем больше я удивлялась тебе: вот человек сделал выбор и предпочел любить женщину, которая оставила его, которая знать его не хочет. И он не только выбрал это, но и заявил об этом во всеуслышанье. Вот кусок из твоей книги, я знаю его наизусть:

«Когда мне нечего было терять, я приобрел все. Когда я перестал быть тем, кем был, я обрел себя самого. Когда я познал унижение и все же продолжал путь, я понял, что волен выбирать свою судьбу. Не знаю, болен ли я, было ли мое супружество лишь мечтой — я сумел постичь, лишь когда оно кончилось. Я знаю, что могу жить без нее, но мне хотелось бы встретить ее снова —

встретить, чтобы сказать то, чего никогда не произносил, пока мы были вместе: «Я люблю тебя больше, чем себя». Если бы я мог произнести эти слова, то смог бы и двигаться дальше, вперед, и успокоился бы, потому что эта любовь даровала бы мне свободу».

— Михаил сказал мне, что Эстер, наверное, читала это. Этого достаточно.

— Тем не менее, чтобы я могла обладать тобой, нужно, чтобы ты встретился с ней и сказал ей это лично. Вероятно, это невозможно, она не хочет больше тебя видеть — и все же попытайся. Я освобожусь от призрака «идеальной жены», а ты избавишься от постоянного присутствия *Заира*.

— Храбрости тебе не занимать.

— Нет, мне страшно. Но выбора нет.

На следующее утро я поклялся себе самому, что не стану предпринимать попытки отыскать Эстер. На протяжении двух лет я подсознательно верил, что ее похитили, заставили уйти — силой или шантажом — члены какой-то террористической группы. Но теперь, когда я знаю, что она жива и, по словам Михаила, вполне благополучна, зачем мне ее видеть?! Та, которая была мне женой, имеет право на свои поиски счастья, и я обязан уважать ее решение.

Подобный ход мыслей продолжался чуть больше четырех часов. Ближе к вечеру я пошел в церковь, поставил свечку и дал новый обет — на этот раз с соблюдением священного ритуала — найти Эстер. Мари права: я уже взрослый человек, так что можно перестать себя обманывать, притворяясь, что все это меня не интересует. Да, я уважаю ее решение уйти, но ведь та самая женщина, которая так помогала мне в созидании моей жизни, теперь эту самую жизнь едва не уничтожила. Эстер всегда отличалась отвагой — так почему же она сбежала по-воровски, ночью, ничего не объяснив, не поглядев мне в глаза?! Да, мы прожили на свете достаточно, чтобы совершать поступки и отвечать за их последствия, — поведение моей жены (поправка: бывшей жены) не вяжется со всем тем, что я знаю о ней. И я должен знать, почему не вяжется.

До спектакля оставалась еще неделя — целая вечность. За эти дни я согласился на интервью, которые никогда не дал бы раньше, написал несколько статей в газету, занимался йогой, медитировал, прочел две книги: одну о русском художнике, а другую — о преступлении в Непале, сочинил два предисловия и по просьбе издателей дал четыре отзыва на рукописи: раньше я неизменно отказывался это делать.

И все равно — свободного времени оставалось слишком много, так что я решил погасить кое-какие ссуды, полученные в Банке Услуг: принимал приглашения на обеды, проводил «встречи с читателями» в школах, где учились дети моих друзей, побывал в гольф-клубе, раздавал автографы в книжном магазине моего приятеля на авеню Сюффран (плакат, извещавший об этом событии, провисел в витрине три дня, но пришло всего человек двадцать). Моя секретарша сказала, что давно не видела меня таким деятельным и активным, а я ответил: «Моя книга — в списке бестселлеров, и это побуждает меня работать больше».

И только двух вещей я, как и раньше, не делал в эту неделю — не читал рукописей (адвокаты посоветовали мне немедленно отправлять их по почте обратно, чтобы меня никто потом не смог обвинить в плагиате). Да и вообще я не понимаю, зачем присылать рукописи мне — я ведь не издатель.

Чего еще я не сделал? Не стал искать в географическом атласе Казахстан, хоть и знал: чтобы завоевать доверие Михаила, надо бы побольше узнать о его корнях.

$\mathcal{П}$ублика терпеливо ждала, когда откроются двери, ведущие в гостиную, расположенную в задней части ресторана. А в ресторане этом не было ничего от прелести баров на Сен-Жермен-де-Пре или от кафе, где сразу подают маленький стаканчик воды, где сидят хорошо одетые люди с правильной речью. Ничего от элегантности театральных фойе, ничего от магии спектаклей, идущих в маленьких бистро, где артисты выкладываются по полной программе в надежде, что случайно оказавшийся среди посетителей знаменитый импрессарио одобрит их работу и пригласит выступать в каком-нибудь культурном центре.

Честно говоря, я недоумевал, как это удалось заполнить зал — ни в одном журнале, посвященном парижским развлечениям и, как принято говорить, событиям культурной жизни, я не нашел упоминания об этом спектакле.

В ожидании начала разговорился с хозяином: оказывается, он намерен в ближайшем будущем превратить в зрительный зал все помещение.

— Публики становится больше с каждой неделей, — говорит он. — Поначалу я пошел на это по просьбе одной журналистки, которая взамен обещала упомянуть мой ресторан в своем репортаже. Согласился, потому что по четвергам зал все равно пустует. А теперь зрители перед началом заказывают ужин, и четверг сделался самым прибыльным днем. Я боюсь теперь только одного — как бы все это не оказалось сектой. Знаете, на этот счет законы очень строги.

Еще бы мне не знать! Находились люди, уверявшие, будто мои книги связаны с очень опасным направлением мысли, с проповедью некоего вероучения, которое плохо сочетается с общепринятыми ценностями. Франция, столь либерально относящаяся ко всему на свете, впадает в настоящую паранойю, когда дело доходит до религии. Недавно был опубликован пространный доклад о том, как группы злоумышленников «промывают мозги» неосторожным людям. Можно подумать, что люди, которые сами выбирают себе школу и университет, марку зубной пасты и автомобиля, жен, мужей, фильмы, любовниц, в вопросах веры вот так просто позволят манипулировать собой!

— А как становится известно об этих представлениях? — спрашиваю я.

— Понятия не имею. Если бы знал, использовал это для рекламы своего ресторана, — отвечает хозяин и добавляет, чтобы развеять у посетителя — а Бог его знает, кто он такой, — последние сомнения: — Но могу гарантировать, что это никакая не секта. Это артисты.

Дверь открывается, и многочисленная публика, предварительно опустив пять евро в маленькую корзину у входа, проникает в зал. Там, на импровизированной сцене, бесстрастно и невозмутимо стоят двое юношей и две девушки в широких белых юбках. Кроме этих четверых, я замечаю мужчину постарше с барабаном-атабаке в руках и женщину с огромным бронзовым подносом: при малейшем ее движении металлическая бахрома издает звук, напоминающий шум дождя.

В одном из юношей я узнаю Михаила, хотя теперь это совсем не тот человек, которого я встретил неделю назад: глаза его устремлены в неведомую даль и блестят как-то по-особенному.

Рассаживается публика — это молодые люди, одетые так, что, если повстречаешь их на улице, решишь, что они употребляют тяжелые наркотики. Люди средних лет — чиновники или менеджеры — с женами. Двое-трое детей лет по девять-десять, которых, наверное, привели родители. Несколько стариков, которым, надо полагать, нелегко было добраться сюда, потому что ближайшая станция метро находится в пяти кварталах.

Все пьют, курят, разговаривают в полный голос, словно на сцене никого нет. Разговор с каждой минутой становится все оживленней и громче, слышатся взрывы хохота, атмосфера делается праздничной и радостной. Секта? Ну, разве что сообщество курящих. Я жадно всматриваюсь в лица присутствующих, и каждая женщина в зале кажется мне Эстер, но стоит лишь приблизиться, как я убеждаюсь — нет, не она. Более того — вообще ничего общего с моей женой. (Почему я все никак не привыкну говорить — с «моей бывшей женой»?)

Спрашиваю элегантную даму, что тут происходит. Она смотрит на меня как на непосвященного, как на человека, которого следует приобщить к тайнам бытия.

— Любовные истории, — отвечает она. — Истории и энергия.

Истории и энергия. Лучше не допытываться, хотя женщина производит впечатление вполне здравомыслящего человека. Надо спросить кого-нибудь еще, а лучше вообще держать язык за зубами — сам постепенно пойму что к чему. Мой сосед с улыбкой обращается ко мне:

— Читал ваши книги. Мне понятно, почему вы здесь.

На мгновение меня охватывает испуг: неужели он знает об отношениях моей жены — моей бывшей жены — с Михаилом? Об отношениях Эстер с одним из тех, кто стоит на сцене?

— Такой писатель, как вы, не может не знать Тенгри. Они имеют прямое отношение к тому, кто называется «воин света».

— Разумеется, — облегченно вздыхаю я.

А про себя думаю: «Впервые слышу».

Спустя двадцать минут, когда в зале стало нечем дышать от табачного дыма, послышался металлический звон. Голоса стихли, как по волшебству, и раскованная вольная обстановка сменилась почти религиозной сосредоточенностью — на сцене и в зале воцарилась тишина, хотя в смежной комнате, где помещался ресторан, было по-прежнему шумно.

Михаил — он, казалось, впал в транс и не сводил глаз с какой-то невидимой точки — начал:

— В монгольском мифе о сотворении мира говорится:
Появился степной волк пепельно-синей масти,
Его удел был небом предначертан,
Супругой его стала косуля.
Голос его был по-женски высок, но звучен и твёрд.

— Так начинается еще одна любовная история. Степной волк со своей отвагой и силой — и косуля, изящная, нежная, наделенная даром предчувствия. Хищник и добыча встречаются. По всем законам природы один должен уничтожить другую, однако в любви нет добра и зла, нет созидания и разрушения. Есть лишь движение. И любовь изменяет законы природы.

Он сделал знак, и четверо на сцене закружились вокруг своей оси.

— Там, откуда я родом, степной волк — женственное животное. Он способен охотиться, потому что развил свой инстинкт, однако в то же время — чувствителен и робок. Он не использует грубую силу, но действует хитроумно, просчитывая на много ходов вперед. Он отважен и осторожен. Он стремителен. Только что лежал он в полной расслабленности — и через долю секунды уже кидается на свою жертву.

«А косуля?» — подумал я по давней привычке придумывать истории. Михаил, однако, тоже обладал известным навыком и потому ответил на мой так и не прозвучавший вопрос:

— А косуля обладает чертами самца — она тоже стремительна и она чувствует землю. Эти двое странствуют в своих символических мирах, это — две встретившиеся невозможности, и поскольку они одолели барьер своей природы, то могут покорить и возможный мир. И, если верить монгольскому мифу, из столкновения двух разных пород рождается любовь. В противоречиях она крепнет и набирает силу. В сшибке и превращении она сохраняется.

У нас — своя жизнь. Мир дорого заплатил за то, чтобы стать таким, как сейчас, и пусть он не идеален, но в нем можно жить. И все же кое-чего не хватает — всегда ведь чего-нибудь да не хватает? — и вот потому-то мы собрались здесь сегодня вечером: для того, чтобы каждый из нас помог другому хоть немного осознать смысл его существования. Мы будем рассказывать истории, лишенные на первый взгляд смысла, и собирать факты, не вписывающиеся в общую манеру восприятия действительности, для того чтобы если не нам, так нашим детям или внукам открылся иной путь.

Данте, создавая свою «Божественную комедию», писал:
«Я видел — в этой глуби сокровенной
Любовь как в книгу некую сплела
То, что разлистано по всей вселенной:
Суть и случайность, связь и их дела,
Все — слитое столь дивно для сознанья,
Что речь моя как сумерки светла».

Мир станет истинным, когда человек научится любить, а до тех пор мы будем жить, пребывая в убеждении, будто знаем, что такое любовь, однако страшась увидеть ее такой, какова она есть на самом деле.

Любовь — это дикая сила. Когда мы пытаемся обуздать ее, она нас уничтожает. Когда мы пытаемся поработить ее, она обращает нас в своих невольников. Когда мы пытаемся постичь ее, она приводит нас в смятение мыслей и чувств.

И сила эта пребывает на свете ради того, чтобы дарить нам радость, чтобы Бог и ближний стали ближе, и все же в наши дни мы любим так, что за минуту душевного мира расплачиваемся часом тоски.

Михаил помолчал. Снова звякнула металлическая бахрома.

— И, как всегда по четвергам, мы не будем рассказывать истории о любви. Давайте сегодня расскажем о *нелюбви*. Давайте взглянем на поверхность — и увидим тогда, что таится в глубине, в том слое, где находятся наши ценности, наши обычаи. Пробурим этот слой и окажемся там. Кто начнет?

Поднялось несколько рук. Михаил сделал знак девушке, в жилах которой явно текла арабская кровь. Она повернулась к мужчине, одиноко сидевшему в другом конце зала:

— Тебе случалось испытывать бессилие?

Раздался общий смех. Однако мужчина ушел от прямого ответа:

— Ты задаешь этот вопрос потому, что твой возлюбленный — импотент?

И эта реплика была встречена смехом. Я снова подумал, что попал на радение новой секты — никогда, впрочем, не предполагал, что на подобных сборищах люди пьют, курят и задают бестактные вопросы насчет сексуальной жизни своего ближнего.

— Нет, — недрогнувшим голосом произнесла девушка. — Нет, он не импотент, но порой оказывается несостоятелен. А я знаю, что если бы ты воспринял мой вопрос всерьез, то ответ был бы: «Да, случалось». Это случается со всеми мужчинами, независимо от того, в какой стране они живут, к какой цивилизации принадлежат, как сильно они любят свою партнершу и насколько она привлекательна. Это случается с каждым — и порой тем чаще, чем сильней вожделеешь. Это — в порядке вещей.

Да, это — в порядке вещей. Именно так сказал мне психиатр, у которого я как-то проконсультировался, решив, что со мной — что-то не то.

Она продолжала:

— Стало быть, рассказанная нам история выглядит следующим образом: каждый мужчина в определенных обстоятельствах стремится иметь эрекцию. А если она не возникает, он считает себя импотентом, а женщина убеждается, что недостаточно хороша, чтобы привлечь его. Тема эта — настоящее табу, и мужчина никогда ни с кем не обсуждает ее. Он произносит знаменитую фразу: «Со мной такое — впервые». Он стыдится себя и чаще всего отдаляется от женщины, с которой у него возникла бы полнейшая сексуальная гармония, если бы он позволил себе предпринять вторую, третью, четвертую попытку. Если бы он больше верил в доброе отношение со стороны своих друзей, если бы говорил правду, то узнал бы: он не единственный, с кем случилось такое. Если бы он больше верил в любовь своей избранницы, то не испытывал бы унижения.

Раздаются аплодисменты. Многие — и мужчины, и женщины — снова закуривают, явно испытывая облегчение.

Михаил кивает господину, по виду похожему на высокопоставленного сотрудника многонациональной корпорации.

— Я — адвокат и специализируюсь на бракоразводных процессах, причем имеющих литигиозную основу...

— Какую-какую? — переспрашивают его.

— То есть таких, в которых одна из сторон не дает согласия на расторжение брака, — произносит адвокат, явно досадуя на то, что его перебили, и недоумевая, как можно не знать столь общеупотребительный термин.

— Продолжайте, — говорит Михаил, и я никогда бы не подумал, что его голос способен звучать так властно.

— И вот сегодня я получил доклад из лондонской компании «Хьюмен энд Лигал Рисос», где сказано:

А. Две трети служащих любой фирмы состоят друг с другом в неслужебных отношениях. Можете себе представить?! Если в конторе работают трое, это значит, что двое из них рано или поздно будут иметь те или иные сексуальные контакты.

Б. 10 % по этой причине увольняются, у 40 % эти отношения длятся более трех месяцев, а в некоторых сферах, чья специфика такова, что работники много времени должны проводить вне дома, по крайней мере восемь из десяти вступают друг с другом в близкие отношения. Ведь это просто невероятно!

— Со статистикой не поспоришь! — замечает один из молодых людей, которых по виду можно принять за опасных бандитов. — Как же не верить статистике?! Получается, что моя мать изменяла моему отцу, и это вина не ее, а статистики!

Слышится смех, закуриваются новые сигареты, во всем ощущается облегчение — словно бы зрители услышали такое, чего всегда боялись услышать, и это освободило их от угнетавшей их тоски. Я думаю об Эстер и Михаиле: среди тех, кто по работе должен много времени проводить вне дома, в связь вступают восемь из каждых десяти.

Вспоминаю себя и случаи, когда подобное происходило и со мной. Что ж, статистика не врет — значит, мы не одни такие.

Рассказывают и другие истории — о ревности, о брошенных супругах, о депрессиях, — но я слушаю вполуха. Вернулся и во всей красе предстал передо мной *Заир* — я нахожусь в одной комнате с человеком, который отнял у меня Эстер, хоть на несколько мгновений мне и показалось, будто я присутствую на сеансах групповой терапии. Сосед — тот самый, что узнал меня, — спрашивает, нравится ли мне это. Я рад хоть на мгновение отвлечься от *Заира*:

— Мне непонятна цель этого сборища. Похоже на «Анонимных Алкоголиков» или что-то в этом роде.

— Но ведь все, что вы слышали, существует в действительности, не так ли?

— Очень может быть. И все же — какова цель?

— Цель — не самое главное на подобных вечерах. Это всего лишь способ не чувствовать себя одиноким. Пересказывая нашу жизнь прилюдно и публично, мы в конце концов приходим к выводу, что большинство людей сталкивается с теми же проблемами.

— Каков же практический результат?

— Если мы сумеем избыть одиночество, то обретем силы понять, в какой точке мы сбились с пути, и сменить настроение. Но, как я уже сказал, это — всего лишь пауза между тем, что говорил мальчик в начале, и обретением энергии.

— Кого вы называете мальчиком?

Наш разговор прерывается металлическим звоном. На этот раз слово берет человек с барабаном-атабаке.

— Осмысление завершено. Разум должен уступить место ритуалу, выплеску чувств, который все венчает и все преобразует. В тех, кто сегодня здесь впервые, этот танец разовьет способность воспринимать Любовь. Любовь — это то единственное, что обостряет ум, будит творческую фантазию, то, что очищает нас и освобождает.

Люди гасят сигареты, смолкает звяканье бокалов. Странная тишина вновь окутывает зал, и одна из девушек на сцене читает краткую молитву:

— Госпожа, мы будем танцевать в Твою честь. Пусть наш танец поднимет нас ввысь.

«Госпожа»? Я не ослышался?

Да нет. Не «Господь», а «Госпожа».

Вторая девушка зажигает четыре свечи в подсвечниках, свет в зале гаснет. Четыре фигуры в белом спускаются со сцены, смешиваются со зрителями. Почти полчаса второй юноша глухим утробным голосом тянул на одной ноте странный напев, который, однако же, как ни странно, заставил меня хоть ненадолго позабыть о *Заире* и расслабиться. Меня даже стало клонить в сон. И дети, которые до этого сновали по залу, притихли и устремили пристальный взгляд на сцену. Часть зрителей полуприкрыла глаза, другая уставилась в пол, третья — в точности, как Михаил перед началом, — куда-то в пространство.

Когда юноша замолчал, зазвучали ударные инструменты — барабаны и поднос с «бахромой», — и ритм был очень похож на тот, который сопровождает африканские религиозные церемонии.

Одетые в белое фигуры кружились на месте, и зрители, несмотря на то что зал был переполнен, расступались, чтобы широкие юбки без помехи плескались в воздухе. Ритм ускорился, четверо кружились все быстрей, издавали звуки на неведомом мне языке — словно напрямую разговаривали с ангелами или с той, кто была названа Госпожой.

Мой сосед поднялся и тоже начал танцевать, бормоча невнятные слова. Десять-двенадцать человек последовали его примеру, а прочие смотрели на них с почтительным восхищением.

*Н*е знаю, сколько длился этот танец, но ритм удивительно совпадал с ударами моего сердца, и я испытывал почти неодолимое желание двигаться, говорить всякий вздор — и лишь самоконтроль вместе с опасением показаться смешным не дал мне закружиться вокруг собственной оси. И с небывалой прежде отчетливостью видел я перед собой своего *Заира* — Эстер улыбалась мне и просила, чтобы восславил «Госпожу».

Я изо всех сил противился тому, чтобы принять участие в этом неведомом ритуале. Старался сосредоточиться на своей цели — ведь я пришел сюда, чтобы поговорить с Михаилом, чтобы он отвел меня к моему *Заиру*, — но вскоре почувствовал, что больше не могу сидеть неподвижно. Поднялся со стула, но едва лишь, одолевая стеснение и скованность, сделал первые па, как музыка оборвалась.

В зале, где тускло горели четыре свечи, слышалось тяжелое дыхание запыхавшихся людей, но вот оно выровнялось, зажегся свет — и показалось, будто все стало как обычно. Я видел, как стаканы наполнились пивом, вином, водой, как дети вновь принялись бегать по залу, и люди принялись разговаривать, словно ничего — совершенно ничего — особенного не происходило минуту назад.

— Наша встреча подходит к концу, — произнесла та девушка, которая зажигала свечи. — Последняя история — за Альмой.

Альмой оказалась женщина, державшая бронзовый поднос. По ее выговору можно было понять, что она — с Востока.

— У одного человека был буйвол с могучими рогами. Вот бы сесть между ними, думал человек, мне казалось бы тогда, что я сижу на троне. И вот однажды, когда буйвол на что-то отвлекся, человек подскочил к нему и исполнил свое желание. В тот же миг буйвол поднялся и далеко отшвырнул человека.

Увидев это, жена его заплакала.

«Не плачь, — сказал он ей. — Мне больно, однако я осуществил свое желание».

Публика потянулась к выходу. Я спросил своего соседа о его ощущениях.

— Сами знаете. Вы же пишете об этом в своих книгах.

Я не знал, однако слукавил:

— Может быть, и знаю. Но хочу убедиться.

Он поглядел на меня так, словно внезапно усомнился, что я — тот самый писатель, чьи книги он читал, и лишь потом ответил:

— Я вступил в контакт с энергией Вселенной. Бог прошел через мою душу.

И вышел, чтобы не объяснять произнесенных им слов.

В пустом зале остались лишь четверо актеров, двое музыкантов и я. Женщины отправились в туалетную комнату — наверное, переодеваться. Мужчины снимали свои белые одеяния прямо здесь. Потом они спрятали канделябры и свои инструменты в два больших чемодана.

Человек постарше, который во время представления играл на барабане, стал считать деньги, раскладывая их на равные кучки. Мне показалось, что Михаил только теперь заметил мое присутствие.

— Я ждал, что вы придете.

— И, должно быть, знаете причину.

— Пропустив через свое тело божественную энергию, я знаю все. Знаю, как начинаются войны, как зарождается любовь. Знаю, почему мужчина отыскивает женщину, которую любит.

Я чувствую, что вновь иду по лезвию ножа. Если он знает, что меня привел сюда *Заир*, он не может не сознавать, что его отношения с Эстер — под угрозой.

— Поговорим как мужчина с мужчиной? Как мужчины, которые оспаривают нечто ценное?

Я вижу, что он колеблется. И продолжаю:

— Я знаю, что больно ударюсь, вроде того человека, что хотел усесться между рогами буйвола. Но знаю, что заслуживаю этого. Заслуживаю из-за той боли, которую причинял, пусть и неосознанно. Не верю, что Эстер оставила бы меня, если бы я уважал ее любовь.

— Вы ничего не понимаете, — произнес Михаил.

От этой фразы я впадаю в бешенство. Как смеет этот юнец говорить взрослому, пожившему, испытанному жизнью человеку, что тот ничего не понимает?! Однако надо взять себя в руки, вытерпеть унижение, сделать все, что будет необходимо, ибо я не могу больше жить в окружении призраков, порожденных моим воображением, не могу допустить, чтобы *Заир* по-прежнему властвовал над всей моей вселенной.

— Может быть, я и в самом деле ничего не понимаю. Именно потому я здесь. Для того, чтобы понять. Чтобы через понимание освободиться от того, что произошло.

— Раньше вы понимали все, а потом вдруг перестали — по крайней мере так сказала мне Эстер. Для вас, как и для каждого мужа, пришел момент, когда жена стала восприниматься как часть обстановки или утвари.

Меня так и подмывает сказать: «Пусть бы она мне об этом и сказала. Пусть бы дала возможность исправить ошибку, а не променяла меня на юнца двадцати с чем-то лет, который очень скоро начнет поступать в точности, как поступал я». Однако произношу я совсем не эти слова:

— Я не верю, что это так. Вы прочли мою книгу, вы пришли в магазин, где я раздавал автографы, потому что знали, что я чувствую, и хотели успокоить меня. Сердце мое — в клочьях. Случалось ли вам слышать о *Заире*?

— Я — мусульманин. Это понятие мне известно.

— Так вот, Эстер занимает все пространство моей жизни. Я думал, что освобожусь от ее присутствия, если опишу все, что чувствую. Теперь для моей любви слова почти не нужны, но ни о чем другом я думать не могу. Прошу вас — я сделаю все, что вы захотите, но только объясните мне, почему она предпочла исчезнуть. Вы сами только что сказали — я ничего не понимаю.

Это было довольно тяжко — просить любовника моей жены, чтобы помог мне постичь произошедшее. Если бы Михаил не появился неделю назад в магазине, где я подписывал экземпляры своей книги, может, и было бы достаточно той минуты в соборе Витории, когда я принял свою любовь, когда я решил написать «Время раздирать и время сшивать». Судьба, однако, распорядилась иначе — и хватило всего лишь надежды на новую встречу с Эстер, чтобы нарушить шаткое равновесие.

— Давайте поужинаем вместе, — сказал Михаил после долгой паузы. — Вы и в самом деле ничего не понимаете. Но прошедшая сегодня через мое тело будет великодушна к тебе.

Мы условливаемся о встрече назавтра. На обратном пути я вспоминаю разговор с Эстер — месяца за три до ее исчезновения.

Мы тогда говорили о божественной энергии, проходящей через человеческое тело.

— *У* них и в самом деле теперь другие глаза. Да, в них по-прежнему — страх смерти, но, помимо и поверх страха, — готовность к самопожертвованию. Их жизнь обрела смысл, потому что им теперь есть за что отдавать ее.

— Ты говоришь о солдатах?

— О них. И — еще об одном. Это так ужасно, что я не могу его принять, но и притвориться, будто не вижу, — тоже не могу. Война — это ритуал. Ритуал крови, но также и любви.

— Ты с ума сошла.

— Возможно. Я знавала своих коллег — военных корреспондентов: они ездят из страны в страну, словно обыденность смерти сделалась частью их жизни. Они ничего не боятся, они встречают опасность как солдаты. И это все — ради новостей? Не верю. Они просто уже не могут обойтись без ощущения опасности, без духа приключения, без впрыска адреналина. Один из них — семейный человек, отец троих детей — объяснил мне, что лучше всего он чувствует себя на поле сражения, хотя обожает свою семью и часами готов говорить о жене и детях.

— Для меня это непостижимо. Я не хочу вмешиваться в твою жизнь, Эстер, но считаю: этот опыт не пойдет тебе на пользу.

— На пользу мне не пойдет жизнь без цели и смысла. А на войне каждый знает, что участвует в чем-то очень важном...

— Присутствует при историческом моменте?

— Да нет, этого недостаточно, чтобы рисковать жизнью. Он возвращается к своей истинной человеческой сути.

— Война?

— Нет. Любовь.

— И ты останешься с ними?

— Думаю, что да.

— Скажи своим шефам в агентстве, что с тебя хватит.

— Не смогу. Это как наркотик. На войне моя жизнь обретает смысл. Там бывает негде вымыться, ешь из солдатского котла, спишь не больше трех часов, а потом просыпаешься от пальбы, там в любую минуту кто-то может бросить гранату... но все это обостряет ощущение жизни. Понимаешь? Ты ежеминутно, ежесекундно ощущаешь, что живешь. Там нет места печали, унынию, сомнениям — ничему нет места, кроме огромной любви к жизни. Ты следишь за моей мыслью?

— Очень внимательно.

— Там, в бою, в средоточии скверны... на тебя как будто нисходит божественный свет. Тебе бывает страшно, но — не в бою, а до или после. А когда гремят выстрелы, ты видишь человека на пределе его возможностей — он способен и на героический, и на самый бесчеловечный поступок. Под градом пуль он вынесет раненого товарища, но не пощадит никого, кто окажется на линии огня, — ни женщину, ни ребенка. Люди, честно жившие в своих маленьких провинциальных городках, где никогда ничего не происходит, вламываются в музеи, крушат вещи, пережившие века, воруют то, что им совершенно не нужно. Запечатлевают на фотоснимках свои зверства и гордятся ими вместо того, чтобы стыдиться и утаивать их. Это безумный мир. А люди, которые в мирной жизни обманывали и предавали, на войне усваивают дух товарищества, чувствуют себя частью единого целого и оказываются неспособны на бесчестный поступок. Короче говоря, на войне все действует с точностью до наоборот.

— И, судя по твоим словам, война помогла тебе ответить на вопрос, который Ганс задавал Фрицу в токийском баре?

— Помогла. Ответ заключен в словах иезуита Тейяра де Шардена, который сказал: «Мы уже подчинили себе энергию ветра, морей, солнца. Но день, когда человек овладеет энергией любви, по значению не уступит открытию огня».

— И ты поняла все это, побывав на войне?

— Не знаю. Но я видела, что, как ни странно, человек на войне счастлив. Мир для него обретает смысл. Я уже говорила тебе: абсолютная власть или самопожертвование придают значение его жизни. Он получает возможность любить без оглядки, без границ, ибо ему нечего терять. Смертельно раненый солдат никогда не скажет врачу: «Спаси меня!» Обычно его последние слова: «Скажите жене и сыну, что я люблю их». В такой отчаянный момент они говорят о любви!

— Выходит, что человек находит смысл жизни только на войне?

— Но мы всегда на войне. Мы ведем постоянную борьбу со смертью, хоть и знаем, что в итоге победа останется за ней. Просто в «вооруженных конфликтах» это предстает более наглядно, но и в мирной, повседневной жизни происходит то же самое. Постоянно чувствовать себя несчастным — непозволительная роскошь.

— И чего же ты хочешь от меня?

— Помощи. А помощь — не в том, чтобы сказать: «Подай заявление об увольнении», ибо это только усилит мою душевную смуту. Мы должны найти способ сделать так, чтобы эта чистая, абсолютная любовь прошла через наше тело и распространилась вокруг. Единственный человек, который сумел меня понять, — это мой переводчик: у него случаются настоящие озарения насчет этой энергии, но он, мне кажется, не вполне от мира сего.

— Уж не о Господней ли любви ты говоришь?

— Если человек способен любить своего партнера, не ставя ему условий, не навязывая ограничений, то этим он выражает свою любовь к Богу. Проявляя любовь к Богу, он полюбит своего ближнего. Если полюбит своего ближнего, то будет любить себя. Если будет любить самого себя, все станет на свои места. Изменится ход Истории. Ее не изменят ни политика, ни завоевания, ни теории, ни войны, ибо это всего лишь повторение одного и того же, — того, что мы видим от начала времен. История изменится, когда мы сумеем использовать энергию любви, как используем энергию ветра, моря, атома.

— И ты полагаешь, что мы с тобой сумеем спасти мир?

— Я полагаю, что не только мы с тобой думаем в этом направлении. Так ты поможешь мне?

— Да, разумеется, только скажи, что я должен делать.

— Этого-то как раз я и не знаю!

Симпатичная пиццерия, куда я регулярно захаживал еще с тех пор, как впервые попал в Париж, ныне стала частью моей биографии: именно в этом заведении я решил отметить вручение мне ордена Наук и Искусств, которого удостоило меня французское Министерство культуры, — хотя многие сочли, что для такого торжественного случая лучше подошел бы ресторан подороже и поизысканней. Однако хозяин пиццерии Роберто был для меня чем-то вроде талисмана — всякий раз, как я приходил к нему, в моей жизни происходило что-то хорошее.

— Я бы мог начать с общих фраз, рассказывая о том, какой успех имеет моя книга «Время раздирать и время сшивать», или о том, какие противоречивые чувства обуревали меня во время вашего представления.

— Это никакое не представление, — поправил Михаил. — Это — встреча. Мы рассказываем истории и танцуем ради Энергии Любви.

— Я бы мог начать с чего угодно, чтобы дать вам время освоиться. Но ведь мы оба знаем, что свело нас за одним столом.

— Не «что», а «кто». Ваша жена, — произнес Михаил с вызывающим видом, свойственным людям его возраста: сейчас он не напоминал робеющего любителя автографов или духовного лидера на «встрече».

— Ошибка. Моя *бывшая* жена. И я обращаюсь к вам с просьбой — мне нужно увидеться с ней. Пусть она сама, глядя мне в глаза, объяснит, что побудило ее уйти. Только так я смогу отделаться от моего *Заира*. В противном случае я буду круглые сутки, днем и ночью думать об этом, в тысячный раз осмысляя эту историю, пытаясь определить, когда же именно я допустил ошибку и наши с ней пути стали расходиться.

Михаил засмеялся.

— Прекрасная мысль — переосмыслить историю. Именно так и происходят все перемены в мире.

— Весьма вероятно, но давайте оставим философские дискуссии. Уверен, что у вас, как у каждого молодого человека, есть точный рецепт усовершенствования мира. Но, как и каждый молодой человек, вы станете старше, достигнете моих лет и тогда поймете, что перемены даются нелегко. Впрочем, сейчас об этом говорить бесполезно... Итак, вы можете выполнить мою просьбу?

— Сначала позвольте спросить — она простилась с вами?

— Нет.

— Сказала, что уходит?

— Ничего она не сказала. Вы и сами это знаете.

— И вы считаете, что такая женщина, как Эстер, способна была оставить мужа, с которым прожила больше десяти лет, вот так, ничего не объяснив, не поглядев ему в глаза?

— Именно это и не дает мне покоя. Но что вы имеете в виду?

Наш разговор прерван появлением Роберто. Михаил заказывает себе неаполитанскую пиццу, я прошу хозяина принести мне что-нибудь по своему вкусу — не тот сейчас момент, чтобы терзаться сомнениями: что бы такое мне выбрать на обед? А вот бутылка красного вина требуется безотлагательно и как можно быстрее. Роберто спрашивает, какого именно, я что-то бормочу в ответ, и он понимает, что должен удалиться, принимать все решения сам, ни о чем меня больше не спрашивать, позволив мне сосредоточиться на разговоре с моим юным сотрапезником.

Через тридцать секунд подают вино. Я наполняю стаканы.

— Что она делает?

— Вам непременно надо это знать?

Отвратительная манера отвечать вопросом на вопрос.

— Непременно.

— Ткет ковры. И дает уроки французского.

Ковры! Моя жена (моя *бывшая* жена, пора бы привыкнуть!), у которой денег было столько, сколько нужно, которая окончила университет и говорит на четырех языках, теперь вынуждена зарабатывать поденщиной?! Но мне приходится сдерживаться: нельзя задеть мужскую гордость Михаила, хотя это позор — не суметь обеспечить женщину!

— Я прошу вас понять, что происходит со мной вот уже больше года. Вашим с Эстер отношениям ничего не грозит. Мне нужно всего два часа. Или час.

Михаил, похоже, смакует мои слова.

— Вы забыли ответить на мой вопрос, — говорит он с улыбкой. — Итак, я повторяю: неужели вы считаете, что такая женщина, как Эстер, способна была оставить мужа, даже не попрощавшись и не объяснив, почему уходит?

— Нет, не считаю.

— Ну так зачем же все эти слова: «Она меня бросила...», «Вашим отношениям ничего не угрожает...»?

Он смутил меня. И одновременно пробудил во мне на-
дежду — хоть и сам не знаю на что.

— Иными словами?..

— Вот именно. Я говорю, что она вас не бросила. И меня не оставила. Она всего лишь исчезла — на какое-то
время или навсегда. И мы оба должны уважать ее решение.

Словно каким-то светом озарилась эта пиццерия, которая всегда пробуждает во мне отрадные воспоминания. Мне
отчаянно хочется поверить словам этого юноши — все-
объемлющий и вездесущий *Заир* пульсирует вокруг меня.

— И вам известно, где она?

— Разумеется. Однако, если она не хочет отзываться,
я обязан уважать ее волю, хотя мне самому ужасно не хватает Эстер. Поймите, я и сам в растерянности: то ли она
удовлетворена тем, что встретила Пожирающую Любовь,
то ли ждет, что один из нас пойдет ей навстречу. Может
быть, она встретит нового мужчину, может быть, удалится
от мира. Если вы решитесь встретиться с ней, я не смогу вам
помешать. Однако думаю, что в этом случае вам предстоит
найти не только ее плоть, но и душу.

Мне хочется смеяться от радости. Мне хочется обнять
Михаила. Или задушить его — чувства сменяют друг друга
с быстротой неимоверной.

— Вы с ней...

— Хотите знать, спал ли я с ней? Ей это было не
нужно. Я нашел в ней товарища, которого давно искал,

человека, который помог мне начать исполнение возложенного на меня поручения, ангела, который отворил мне двери, указал дороги и тропы, а по ним с Божьей помощью я сумею снова принести на Землю энергию любви. Она разделила со мной бремя этой миссии. А чтобы вы успокоились, скажу, что у меня есть возлюбленная — это та белокурая девушка, что стояла на сцене. Ее зовут Лукреция, она итальянка.

— Это правда?

— Именем Божественной Энергии клянусь, что говорю правду.

Михаил вытащил из кармана кусочек темной ткани.

— Видите? На самом деле он зеленый, а кажется черным потому, что на нем запеклась кровь. Какой-то солдат в какой-то стране мира попросил ее перед смертью разорвать его рубашку на несколько кусков и раздать их тем, кому может быть внятен смысл такого послания. У вас есть кусочек?

— Эстер ни словом об этом не обмолвилась.

— Когда она встречает того, кто должен принять послание, то передает и толику крови этого солдата.

— Что же это за послание?

— Если она не вручила вам лоскутик, то я вряд ли имею право распространяться об этом, хоть Эстер и не просила меня хранить молчание.

— А у кого еще он есть?

— У всех, кто стоял вчера на сцене. Мы вместе — благодаря Эстер.

Надо было действовать осторожно — не вспугнуть, не встревожить. Установить с ним контакт. Внести вклад в Банк Услуг. Расспросить Михаила, кто он, чем занимался, разузнать о его стране — ведь он рассказывал о ней с такой гордостью. Выведать, правду ли он говорил или скрывал свои истинные намерения. Убедиться, поддерживает ли он связь с Эстер или тоже потерял ее из виду. Да, конечно, он — из далеких краев, и там, наверное, другие ценности, однако я не сомневался, что Банк Услуг исправно функционирует в любой точке земного шара, ибо для этого учреждения границ не существует.

С одной стороны, мне хотелось верить словам Михаила. С другой — слишком много перестрадал я, слишком сильно кровоточило мое сердце, когда тысячу и одну ночь подряд ждал я, что вот сейчас повернется ключ в замке, войдет Эстер, молча, не говоря ни слова, приляжет рядом. Я поклялся самому себе: если это произойдет — я ни о чем ее не спрошу, только поцелую, скажу «Доброй ночи, любовь моя», а наутро мы проснемся обнявшись, словно всего этого кошмара никогда и не было.

Роберто подает пищу. У этого человека — шестое чувство: он появляется в ту самую минуту, когда мне надо выиграть время и подумать.

Поворачиваюсь к Михаилу. Успокойся, заставь свое сердце не колотиться так, иначе получишь инфаркт. Выпиваю целый стакан вина. Он следует моему примеру.

Ему-то чего волноваться?

— Я верю вам. Давайте поговорим.

— Вы попросите меня отвести вас к Эстер.

Он разгадал мою игру, и мне приходится начинать заново:

— Да, попрошу. Я попытаюсь уговорить вас. Сделаю все возможное, чтобы добиться этого. Но я не тороплюсь: у нас с вами впереди — целая пища. Расскажите мне о себе.

Заметно, что он с усилием сдерживает дрожь в руках:

— В этом мире у меня есть поручение. Покуда мне еще не удалось выполнить его. Однако у меня в запасе еще много дней.

— И, быть может, я сумею помочь вам.

— Сумеете. Каждый способен помочь мне, стоит лишь способствовать тому, чтобы Энергия Любви распространилась по свету.

— Я могу сделать большее.

И замолкаю, чтобы он не подумал, будто я собираюсь попыткой подкупа проверить его верность. Осторожно! Как можно более осторожно! Вероятно, он говорил правду, но не исключено, что лгал, пытаясь воспользоваться моими страданиями в собственных интересах.

— Я знаю лишь одну энергию любви, — продолжаю я. — Она возникает по отношению к женщине, которая ушла от меня... вернее сказать — отдалилась и теперь ждет меня. Если сумею вернуть ее, я стану счастливым человеком. И мир будет лучше, потому что одна душа обретет счастье.

Михаил обводит взглядом потолок и стол, и я не нарушаю бесконечно затянувшееся молчание.

— Слышу *Голос*, — произносит он, не решаясь взглянуть мне в глаза.

У меня есть огромное преимущество: в своих книгах я затрагиваю темы духовности и потому знаю, что всегда могу войти в контакт с людьми, наделенными тем или иным даром. Дар может быть истинным и настоящим, а может быть выдумкой. И одни люди пытаются им воспользоваться, а другие лишь испытывают меня. Но я на своем веку повидал столько удивительного, что теперь у меня нет ни малейших сомнений — чудеса случаются, все на свете возможно, а человек начинает снова овладевать позабытым было искусством применять свою внутреннюю силу.

Вот разве что сейчас — не лучшее время говорить об этом. Сейчас меня интересует только *Заир*. Мне нужно, чтобы *Заир* вновь стал зваться Эстер.

— Михаил...

— На самом деле я не Михаил, а Олег.

— Олег...

— Когда я принял решение возродиться для новой жизни, то выбрал себе имя архангела с огненным мечом, пролагающего путь для того, чтобы «воины света» — так, кажется, вы называете их? — могли встретиться. Таково мое предназначение.

— И мое.

— Разве вы больше не хотите говорить об Эстер?

Не может быть! Он вновь переводит разговор на интересующую меня тему?

— Мне как-то не по себе... — взгляд его становится блуждающим, отсутствующим. — Я не хочу говорить о себе. *Голос*...

Происходит что-то странное, очень странное. Как далеко способен он зайти в своем намерении произвести на меня впечатление? Неужели он, как многие до него, попросит, чтобы я написал книгу о его жизни и его даре?

Увидев перед собой ясную цель, я готов на все ради достижения ее — и в конце концов, не об этом ли я говорю в своих книгах? Разве можно предать их? Вот и сейчас передо мной цель — еще раз взглянуть в глаза *Заира*. Михаил предоставил мне новые сведения: он не любовник Эстер, она меня не бросила, и ее возвращение — лишь вопрос времени. Но совершенно не исключено, что наша встреча в пиццерии — это фарс: молодой человек, не слишком преуспевший в жизни, использует чужие страдания в своих интересах.

Я снова залпом выпиваю стакан вина — и Михаил тоже.

«Будь благоразумен», — твердит мне инстинкт.

— Да, я хочу говорить об Эстер. Но и о вас мне хочется узнать побольше.

— Ничего подобного. Вы хотите обольстить меня, заставить делать то, к чему я — в принципе — готов и сам. Страдание, которое вы испытываете, застит ваш взгляд: вы считаете, что я могу лгать, желая извлечь для себя выгоду из этой ситуации.

Михаил будто читает мои мысли, но говорит при этом громче, чем требуют правила хорошего тона. С соседних столиков на нас оборачиваются.

— Вы хотите произвести на меня впечатление, а того не знаете, что ваши книги предопределили мою жизнь и что написанное в них очень многому научило меня. Ваша боль ослепила вас, лишила ваш разум остроты. Вы одержимы одним. *Заир* не дает вам покоя. Я принял ваше предложение встретиться не потому, что меня тронула ваша любовь к Эстер — я не уверен, что это именно любовь, а не уязвленная гордыня. Меня привела сюда...

Голос звучит все громче, взор блуждает. Михаил явно не владеет собой.

— Свет... Свет...

— Что с вами?

— Меня привела сюда ее любовь к вам.

— Вам нехорошо?

Роберто замечает — что-то не то. Он с улыбкой подходит к столу, кладет руку на плечо юноши:

— Ну, вижу, пицца мне сегодня совсем не удалась. Я и денег с вас не возьму. Идите, раз не нравится.

Что же, это выход. Мы можем встать, уйти из ресторана, избежать прискорбного зрелища того, как человек изображает, будто обуян бесами, — изображает лишь для того, чтобы произвести на меня впечатление или смутить. Впрочем, я уверен — это нечто более серьезное, нежели простое представление.

— Чувствуете дуновение?

В этот миг я понял, что он не притворяется, напротив — с трудом сдерживает себя, впадая в панику, не сравнимую с той, которую испытывал я.

— Огни, огни! Появляются огни! Ради Бога, уведите меня отсюда!

Крупная дрожь стала сотрясать его тело. Теперь уже ничего нельзя было скрыть — люди за соседними столами начали подниматься.

— В Казахста...

Он не договорил. Оттолкнул стол — полетели в разные стороны бокалы, тарелки, приборы. Лицо стало неузнаваемым, глаза завращались в орбитах, он весь дрожал. Голова так резко откинулась назад, что я услышал хруст позвонков. Человек, сидевший рядом, вскочил на стол. Роберто успел подхватить Михаила раньше, чем он упал, и сунуть ему в рот ложку.

Все это продолжалось несколько мгновений, показавшихся мне вечностью. Я представил себе, как сладострастно опишут бульварные журнальчики эту сенсацию: знаменитый писатель, наиболее вероятный кандидат — что бы там ни говорили критики — на престижную литературную премию, устроил спиритический сеанс в пиццерии, и все для того, чтобы привлечь внимание к своей новой книге. Фантазия моя разыгралась не на шутку: потом проведают, что медиум — это тот самый человек, с которым бежала жена писателя. И все начнется сначала, но на этот раз у мне не хватит ни мужества, ни энергии вынести это достойно.

Можно не сомневаться, что за соседними столами есть люди, узнавшие меня, но кто из них окажется моим другом и промолчит о случившемся?!

Дрожь, сотрясавшая тело Михаила, унялась, он стих. Роберто, придерживая его за плечи, усадил на стул. Сосед пощупал ему пульс, приоткрыл веко, потом повернулся ко мне:

— Похоже, такое с ним случалось и раньше. Вы давно его знаете?

— Они часто приходят сюда, — заявил Роберто, видя, что я нем и недвижим. — Но такое произошло впервые, хотя подобные случаи бывали в моем заведении.

— Чувствуется навык, — ответил посетитель. — Вы не запаниковали.

Эта реплика относилась ко мне, потому что я, наверное, сильно побледнел. Он вернулся за свой стол, а Роберто попытался успокоить меня:

— Это врач одной очень знаменитой актрисы. Думаю, помощь нужнее сейчас вам, чем вашему гостю.

Михаил — или Олег, или как там еще звали этого человека — пришел в себя. Огляделся по сторонам и улыбнулся не без смущения:

— Извините. Я пытался овладеть собой, да не сумел...

Роберто вновь пришел мне на помощь:

— Ничего страшного. У нашего писателя хватит денег заплатить за перебитые тарелки. — И повернулся ко мне: — Эпилептический припадок, только и всего.

Мы покинули ресторан. Михаил немедленно сел в такси.

— Но мы не договорили! Куда вы?

— Мне сейчас не до того. А где найти меня, вы знаете.

Есть мир мечты и мир действительности.

В мире мечты Михаил говорил правду, и вся история представала лишь трудным моментом моей жизни, недоразумением, без которых не обходится никакая любовь. Эстер терпеливо ждала меня, надеясь, что я определю, где была допущена ошибка в наших отношениях, приду к ней, попрошу прощения и мы возобновим нашу совместную жизнь.

В мире мечты мы с Михаилом после спокойного разговора выходили из пиццерии, садились в такси, звонили в некую дверь, за которой моя бывшая жена (или теперь как раз не «бывшая»?) ткала коврики, давала уроки французского, проводила одинокие ночи, как и я, прислушиваясь, не раздастся ли звонок, не войдет ли супруг с букетом цветов и не отвезет ли ее выпить шоколаду в отель на Елисейских полях.

В реальном мире каждая встреча с Михаилом происходила в напряжении, ибо я боялся повторения того, что было в пиццерии. В реальном мире все это было вымыслом, игрой воображения — он и сам понятия не имел, где обитает Эстер. В реальном мире я в 11:45 стоял на Восточном вокзале и встречал прибывающий из Страсбурга поезд, на котором должен был приехать крупный американский актер и режиссер, решивший снять фильм по мотивам одной из моих книг.

До сих пор на все предложения такого рода я неизменно отвечал: «Это мне не интересно», считая, что каждый, кто прочел книгу, мысленно экранизирует ее сам — сам видит внешность персонажей, слышит их голоса. Сам выстраивает антураж и даже ощущает запахи. Именно поэтому читатель, посмотрев фильм, в основе которого лежит понравившийся ему роман, непременно почувствует себя обманутым, обязательно скажет: «Нет, книжка лучше».

Но на этот раз мой литературный агент оказалась очень настойчива. Она утверждала, что американец созвучен нам по духу и потому создаст нечто принципиально отличное от того, что нам предлагали раньше. Встречу назначили два месяца назад — сегодня вечером мы должны были поужинать, обсудить детали и убедиться в том, что мы с ним воспринимаем мир схожим образом.

Однако за последние две недели мой распорядок изменился. Сегодня был четверг, и я должен идти в армянский ресторан, чтобы предпринять еще одну попытку контакта с юным эпилептиком, который, хоть и твердил, что слышит голоса, был единственным, кто знал местонахождение Эстер. Я счел, что это — знак свыше, решил отказаться от продажи прав на экранизацию и попытался отменить встречу. Но американец проявил упорство: заявил, что ему все равно — ужин ли в четверг или обед в пятницу, ибо «перспектива провести вечер в Париже одному никого не может огорчить». Возразить на это мне было нечего.

В мире мечты Эстер все еще была моей спутницей, и ее любовь придавала мне сил идти вперед и раздвигать границы своих возможностей.

В реальном мире эта женщина стала моим наваждением. Она высасывала из меня всю энергию, она заполняла собой

все пространство, заставляя меня предпринимать неимоверные усилия, чтобы продолжать жить, работать, встречаться
с людьми, давать интервью.

Как же так получилось, что прошло два года, а я так и
не сумел забыть ее? Невыносимо думать о случившемся,
перебирать варианты, пытаться убежать, смириться, писать
книгу, заниматься йогой и благотворительностью, встречаться с друзьями, заводить романы, ходить в ресторан, в
кино (избегая, разумеется, экранизаций и выбирая фильмы,
поставленные по оригинальным сценариям), в театр или на
футбол. И все равно — *Заир* неизменно одолеет, никуда не
денется, не позволит думать ни о чем, кроме: «Как я хочу,
чтобы ты была со мной!»

...Гляжу на часы — до прибытия поезда оставалось еще
четверть часа. В мире мечты Михаил — мой союзник, в
реальном же мире не существует никаких доказательств
того, что это так, за исключением моего неимоверного желания поверить в искренность его слов. В реальном мире он
вполне может оказаться замаскировавшимся врагом.

Я вновь ищу ответ на неизменно возникающий вопрос:
почему же она ничего мне не сказала? Быть может, это и
есть пресловутый вопрос Ганса? Быть может, Эстер решила, что должна спасти мир — не о том ли шла речь в нашем
тогдашнем разговоре о любви и войне? — и «готовила»
меня к тому, чтобы я сопровождал ее на этом пути?

Я не свожу глаз с рельсов. Мы с Эстер тоже двигаемся
параллельно друг другу и никогда больше не пересечемся.
Две судьбы, которые...

Рельсы.

Далеко ли они друг от друга?

Чтобы отделаться от *Заира*, я спрашиваю об этом кого-то из железнодорожников, оказавшихся на платформе.

— 143,5 см или 4 фута и 8,5 дюйма, — отвечает он.

Судя по виду, он в ладу со своей совестью, гордится своей профессией и опровергает «*idee fixe*» Эстер — о том, что на самом дне души у каждого из нас таится глубокая печаль.

Но ответ он мне дает совершенно бессмысленный — 143,5 см или 4 фута и 8,5 дюйма.

Бред какой-то. Почему не полтора метра? Или не пять футов? Должна быть какая-нибудь круглая цифра, которую легко запомнить вагоностроителям и железнодорожникам.

— А почему? — настырно осведомляюсь я.

— Потому что таково расстояние между колесами.

— Но ведь расстояние между колесами зависит от ширины колеи?

— Вы считаете, что я обязан знать все о поездах, потому лишь, что работаю на вокзале? Как есть, так есть.

Он уже не похож на всем довольного счастливца, которому нравится его работа: на первый вопрос он ответить сумел, но не более того. Я извинился, и в ожидании поезда не сводил глаз с рельсов, интуитивно чувствуя — они хотят мне что-то сказать.

Как это ни странно, они словно рассказывали историю моего супружества — да и не только моего.

Приехавший американец оказался — при всей своей известности — симпатичней, чем я ожидал. Я отвез его в мой любимый отель и вернулся домой. Там к своему удивлению я застал Мари — она объяснила, что из-за погодных условий съемки откладываются на неделю.

— Сегодня — четверг. Я думала, ты пойдешь в ресторан.

— Хочешь со мной?

— Хочу. Или тебе лучше будет одному?

— Лучше одному.

— Нет! Я пойду с тобой! Не родился еще мужчина, который будет направлять мои шаги.

— А ты знаешь, что ширина железнодорожной колеи — 143,5 см? Почему?

— Можно поискать ответ в Интернете. А это важно?

— Очень.

— Ну хорошо, оставим пока ширину колеи. Кое-кто из моих приятелей оказался твоим горячим поклонником. Они считают, что человек, который мог написать «Время раздирать и время сшивать», или историю пастуха, или о паломничестве по пути Сантьяго, должен быть настоящим мудрецом и знать ответы на все вопросы.

— Что, как ты знаешь, не вполне соответствует истине.

— А что есть истина? Как же ты доносишь до своих читателей смысл того, что находится за гранью твоего понимания?

— А это не за гранью моего понимания. Все, о чем я пишу, составляет часть моей души, все это — уроки, которые я усваивал на протяжении всей жизни и которые пытаюсь применить к себе самому. Я — читатель своих собственных книг. Они показывают мне такое, что я уже знал, но не сознавал, что знаю.

— А читатель?

— Полагаю, с ним происходит то же, что и со мной. Книга — да и не только книга, это может быть все что угодно: фильм, музыка, сад, панорама гор — что-то выявляет у нас в душе. А выявить — это значит сдернуть с чего-то уже существующего покрывало и вновь набросить его. Согласись, что это не то же самое, что пытаться толковать секреты того, как лучше жить.

Ты ведь знаешь, сейчас я страдаю от любви. Это страдание может быть лишь спуском в ад — а может стать и откровением. Лишь в ту пору, когда я писал «Время раздирать и время сшивать», мне открылась во всей полноте моя способность любить. Я познал ее, покуда выстукивал на машинке слова и фразы.

— А духовная сторона? То, что присутствует на каждой странице любой твоей книги?

— Пожалуй, мне начинает нравиться твое намерение пойти сегодня в армянский ресторан. Ибо там ты откроешь, вернее, осознаешь, три важные вещи.

Первое: в тот миг, когда люди решаются всерьез решить какую-нибудь проблему, оказывается, что они готовы к этому гораздо лучше, нежели полагали.

Второе: вся наша энергия, вся наша мудрость идут из одного и того же неведомого источника, который принято называть Богом. И с тех пор, как я вступил на свое, громко говоря, поприще, я пытался почитать эту энергию, я делал все, чтобы не утратить с ней контакт, чтобы следовать ее знакам и знамениям. Я старался учиться, когда делал что-либо, а не когда задумывал сделать это.

И наконец, третье: человек в скорбях своих не одинок — всегда найдется тот, кто мыслит, радуется или горюет схожим образом, и это дает нам силы достойно ответить на бросаемый нам вызов.

— Сюда входит и несчастная любовь?

— Сюда входит все. Страдаешь — прими страдание, ибо оно не исчезнет потому лишь, что ты делаешь вид, будто его не существует. Радуешься — прими радость, даже если ты боишься, что когда-нибудь она исчезнет. Одни способны воспринимать жизнь лишь через самоотречение и самопожертвование. А другие чувствуют себя частью человечества, лишь когда думают, что «счастливы». А почему ты спросила?

— Потому что влюблена и боюсь страдания.

— А ты не бойся. Единственный способ избежать несчастной любви — не любить вовсе.

— Я знаю — Эстер присутствует здесь. Ты ничего не рассказал мне о встрече в пиццерии, кроме того, что у этого юноши начался припадок. Это — дурной знак для меня. А для тебя, наверное, хороший.

— Отчего же? И для меня это — дурное предзнаменование.

138

— Знаешь, о чем хочу спросить тебя? Хотела бы знать, любишь ли ты меня так же сильно, как я люблю тебя. Хочу спросить, да не решаюсь. Почему у меня всегда складываются такие изломанные отношения с моими возлюбленными? Сама знаю — потому что сама себя заставляю быть чувственной, умной, исключительной, фантастичной... Усилие соблазна заставляет меня давать самое лучшее из того, что у меня есть, и это мне помогает. Помимо всего прочего, мне очень трудно ужиться и с самой собой. И я не знаю, удачен ли этот выбор.

— Тебя интересует, способен ли я еще любить некую женщину, несмотря на то, что она бросила меня без объяснения причин?

— Я прочла твою книгу. Способен.

— Ты хочешь спросить, способен ли я, несмотря на мою любовь к Эстер, любить и тебя тоже?

— Я не решаюсь задать этот вопрос, ибо ответ может непоправимо испортить мне жизнь.

— Ты хочешь знать, способно ли наше сердце выдержать любовь не к одному человеку, а, скажем, к двоим сразу?

— Поскольку этот вопрос не так прям, как предыдущий, скажу: «Да, хочу».

— Думаю, что способно. Если только предмет нашей любви не...

— ...становится *Заиром*. Но я так просто тебя не отдам. Дело того стоит. Мужчина, который может любить женщину так, как ты любил — или любишь — Эстер, вызывает уважение и желание побороться за него. А теперь, чтобы доказать тебе, как сильно я хочу быть с тобой рядом, как много ты значишь для меня, какое важное место ты занимаешь в моей жизни, я выполню твою просьбу, хоть это и полная чушь. Я узнаю, почему расстояние между рельсами составляет 4 фута и 8,5 дюйма.

Хозяин армянского ресторана в точности исполнил свое намерение, о котором толковал мне, — теперь представление шло не в задней комнате. Зрительным залом стал весь ресторан. Мари с любопытством оглядывала публику, время от времени вслух удивляясь тому, какая она разношерстная.

— Еще и детей с собой взяли! Абсурд какой-то!

— Может быть, им не с кем их оставить.

Ровно в девять часов на сцене появилось шестеро — двое музыкантов в восточных одеяниях и четверо давешних молодых людей в белом. Официанты сейчас же прекратили разносить заказы; посетители замолчали.

— В монгольском мифе о сотворении мира, — начал Михаил, и, как и в прошлый раз, голос его звучал иначе, чем в обыденной жизни, — косуля и степной волк встречаются. Если такое случается в действительности, волк убивает и пожирает косулю. Но в мифе два эти столь различных по своей природе существа понимают, что нуждаются друг в друге: качества, которыми обладает один и обделен другой, помогают им выжить во враждебном мире. И ради этого они должны быть вместе. Но прежде всего им надо научиться любви. А чтобы любить, надо отказаться от своей сути — иначе им никогда не ужиться. Со временем степной волк начинает соглашаться с тем, что его инстинкт, направленный лишь на выживание, теперь послужит более высокой цели — поискам существа, вместе с которым он перестроит мир.

Михаил помолчал.

— Когда мы танцуем, то вращаемся вокруг той самой Энергии, что восходит к Госпоже и возвращается к нам, обретя всю Ее силу, — в точности так же, как вода испаряется, превращается в облако и проливается на нас дождем. Круговорот воды в природе. А я расскажу вам о круговороте любви. Однажды некий крестьянин постучал в двери монастыря. Когда брат-ключарь отворил, крестьянин протянул ему гроздь великолепного винограда.

— Дорогой брат-ключарь, вот лучшие плоды моего виноградника. Это мой подарок.

— Спасибо. Немедля отнесу их настоятелю. Он будет рад.

— Нет! Я принес их в дар тебе.

— Мне? Я недостоин такого дивного творения природы.

— Ты отворял мне дверь всякий раз, как я стучался. Когда засуха сгубила урожай, ты ежедневно давал мне ломоть хлеба и стакан вина. Я хочу, чтобы эти грозди даровали тебе толику любви солнца, красоты дождя и совершенного Богом чуда.

Брат-ключарь положил гроздь перед собой и все утро любовался виноградом — тот и в самом деле был хорош. И потому все же решил преподнести его настоятелю, чьи мудрые слова неизменно придавали ему бодрости и силы.

Настоятель остался очень доволен виноградом, но, вспомнив, что есть в его обители больной монах, подумал:

«Отдам-ка я эту гроздь ему. Как знать, может быть, это развеселит его».

Но недолго пробыл виноград и в келье больного монаха, ибо он рассудил так: «Брат-повар заботится обо мне, старается накормить повкуснее. Уверен, что виноград доставит ему радость». И когда повар принес ему обед, больной отдал виноград ему со словами: «Это — тебе. Ты постоянно имеешь дело с дарами природы, тебе ли не знать, как обойтись с этим божественным творением».

Брат-повар был поражен красотой грозди и позвал своего помощника полюбоваться ягодами — столь совершенными, что оценить их в полной мере мог бы только брат-ризничий, отвечавший за хранение Святого Причастия и слывший в обители настоящим праведником.

Брат-ризничий в свою очередь подарил гроздь юному послушнику, дабы тот смог понять, что рука Творца чувствуется и в мельчайших деталях Творения. Послушник же, получив виноград, ощутил, как сердце его наполняется Господней Славой, потому что никогда до сих пор не видел он такой прекрасной грозди. Тут вспомнились ему первый приход в обитель и человек, отворивший ему дверь, — именно благодаря этому принадлежит он теперь к сообществу людей, знающих истинную цену чудесам.

И вот перед наступлением ночи отнес послушник гроздь брату-ключарю и сказал:

— Кушай на здоровье. Ведь ты большую часть времени проводишь тут в одиночестве — с виноградом будет веселей.

Брат-ключарь понял тогда, что дивная гроздь и в самом деле предназначена была ему, насладился вкусом каждой ягоды и уснул счастливым. Так замкнулся круг — круг счастья и радости, неизменно возникающий у каждого, кто соприкасается с Энергией Любви.

$\mathcal{D}$евушка по имени Альма встряхнула свой бронзовый поднос.

— Как и всегда по четвергам, мы будем рассказывать истории о любви и слушать истории о нелюбви. Увидим, что лежит на поверхности, а потом постепенно поймем, что кроется в глубине — наши обычаи, наши ценности. А когда нам удастся пробить этой слой, то обретем и возможность найти самих себя. Кто начнет?

Поднялось несколько рук, в том числе — к большому удивлению Мари — и моя. В зале стало шумно, люди задвигались на стульях. Михаил сделал знак высокой красивой голубоглазой женщине.

— На прошлой неделе я была в гостях у моего друга, который живет один в горах, неподалеку от границы. Он — из тех, кто обожает все радости жизни, и не раз утверждал, будто вся мудрость, которой он, по общему мнению, обладает, заключается в том, чтобы сполна проживать каждое мгновение бытия.

Мужу мое намерение не понравилось — он знал, что я собираюсь навестить человека, чье любимое занятие — охотиться на птиц и соблазнять женщин. Однако мне требовалось поговорить с ним, потому что он один мог бы помочь мне справиться с кризисом, который я переживала. Муж предлагал мне пойти к психоаналитику или отправиться в путешествие, мы спорили, ссорились, и, несмотря на все препоны, я все же настояла на своем. Друг встретил меня в аэропорту, вечером за ужином мы поговорили, выпили, еще поговорили, и я пошла спать. Наутро проснулась, мы немного погуляли по округе, и он отвез меня в аэропорт.

А по возвращении домой начались вопросы. Он был один? Один. И никакой женщины при нем? Никакой. И вы пили? Пили. Отчего же ты не рассказываешь, как все было? Я и рассказываю. И вы были наедине в доме с окнами на горные вершины, какой романтический антураж, не правда ли? Правда. И ничего, кроме разговоров? Ничего. И ты думаешь, я поверю? А почему бы тебе не поверить? Потому что это противно природе человеческой — если мужчина и женщина вместе пьют, если говорят о сокровенном, то непременно окажутся в одной постели.

И я согласна с ним. Это противоречит всему, к чему мы привыкли и что усвоили. И мой муж никогда не поверит мне, хотя сказала ему чистую правду. И с тех пор наша жизнь сделалась настоящим кошмаром. Я знаю, это пройдет, но мне досадно, потому что мы страдаем и мучаемся впустую, из-за расхожих представлений о том, что мужчина и женщина, симпатизирующие друг другу, окажутся в постели, как только обстоятельства позволят.

Раздались аплодисменты. Вспыхнули огоньки сигарет. Зазвенели бутылки и бокалы.

— Что это? — вполголоса спросила Мари. — Сеанс групповой терапии для супружеских пар?

— Это часть «встречи». Никто не утверждает, что прав, никто не признается в своих ошибках, — здесь просто рассказывают истории.

— А почему слушатели при этом ведут себя так неуважительно — пьют и курят?

— Чтобы чувствовать себя легче. А «легче» — значит, «проще». А если так проще, то почему бы не поступить именно так?

— Легче? Проще? Среди незнакомых людей, которые могут завтра же рассказать эту историю мужу?

Поднялся еще один посетитель, и я не успел сказать Мари, что это не имеет никакого значения — все здесь собрались для того, чтобы говорить о нелюбви, рядящейся в личину любви.

— Я — муж той дамы, которая рассказала вам эту историю, — сказал этот человек, который по крайней мере лет на двадцать был старше этой белокурой красотки. — И все это — чистая правда. Однако существует такое, чего моя жена не знала, а я не решался обнародовать. Итак, слушайте:

«Когда она уехала в горы, я никак не мог заснуть и начал во всех подробностях представлять себе, что же там происходит. Вот она приезжает, входит в дом, где горит камин, снимает жакет, потом джемпер, а лифчика она не носит, и груди ее отчетливо вырисовываются под тонкой блузкой.

Она делает вид, будто не замечает его взгляда. Говорит, что принесет из кухни еще одну бутылку шампанского. На ней узкие, в обтяжку, джинсы, и, медленно идя к дверям, она, даже не оборачиваясь, знает, что он провожает ее глазами. Возвращается, и разговор, который они ведут, касается вещей интимных и заставляет их чувствовать себя соучастниками. Но вот вопрос, ради которого она отправилась в путь, решен. Звонит мобильный телефон — это я осведомляюсь, все ли у нее в порядке. Приблизившись к хозяину, она дает ему послушать — а я нежен и обходителен, потому что понимаю: скандалить поздно, лучше уж притвориться, что я все принимаю как должное, желаю ей приятно провести время в горах, ведь уже назавтра ей предстоит возвращение в Париж, дети, дом, покупки и прочее.

Даю отбой, сознавая, что он слышал наш разговор. А хозяин и гостья, прежде сидевшие на разных диванах, оказываются рядом.

А я в этот миг поднимаюсь, иду в детскую, где спят мои сыновья, потом долго стою у окна, глядя на Париж, и знаете ли, что я замечаю? Меня возбуждает, и сильно возбуждает, мысль о том, что моя жена, быть может, в эту самую минуту целуется с другим, отдается ему.

Мне отвратительны мои ощущения, они мне кажутся невероятными. И на следующий день я завожу об этом речь с двумя приятелями — не ссылаясь, разумеется, на свой собственный пример, я спрашиваю, не бывало ли так, что, перехватив на какой-нибудь вечеринке похотливый мужской взгляд, обращенный к их женам, они получали яркую эротическую реакцию? Оба уходят от прямого ответа — это табу. Но оба признаются, что, когда мужчины вожделеют к твоей жене, — это прекрасно. Значит, это тайная фантазия, запрятанная глубоко в душе каждого мужчины? Не знаю. Целую неделю наша супружеская жизнь была настоящим адом, ибо я не понимал сути своих ощущений. И это непонимание заставляло меня винить жену в том, что это она своими действиями нарушила равновесие моего мира».

На этот раз никто не зааплодировал, но очень многие закурили. Видно было, что эта тема даже здесь остается запретной.

Я поднял руку, в то же время спрашивая себя, согласен ли я с господином, только что окончившим свой рассказ. Да, согласен! В моем воображении возникали подобные картины с участием Эстер и солдат, но даже себе самому я не решался в этом признаться.

Михаил взглянул в мою сторону и кивнул мне.

Не знаю, как сумел я подняться, взглянуть на публику, явно шокированную историей мужа, который возбуждается, представляя свою жену в объятиях другого. Никто не обратил на меня особенного внимания, и это помогло мне начать:

— Прошу прощения за то, что говорить буду не столь прямо, как оба моих предшественника. Но, поверьте, мне тоже есть что сказать. Сегодня мне случилось быть на вокзале, и я узнал, что рельсы отстоят друг от друга на 143,5 см, или 4 фута и 8,5 дюйма. Почему такие странные цифры? Я попросил мою подругу выяснить это, и вот вам результат:

«Потому что когда стали строить первые железнодорожные вагоны, использовались те же инструменты, что и при изготовлении карет.

А почему у карет было такое расстояние между колесами? Потому что в старину такова была ширина дороги, и иначе карете было бы не проехать.

А кто решил, что ширина дороги должна быть именно такой? И тут нам придется обратиться к весьма далекому прошлому — так решили римляне, первыми ставшие прокладывать и мостить дороги. Ибо свои боевые колесницы они запрягали парой, а если поставить рядом, бок о бок, двух тогдашних лошадей, то займут они как раз 143,5 см.

И таким вот образом оказывается, что ширину железнодорожной колеи, по которым мчатся наши современнейшие поезда, определили древние римляне. И когда иммигранты начали строить железные дороги в Соединенных Штатах, они не спрашивали, не лучше ли будет изменить ширину, а оставили все как было. Это даже повлияло на конструкцию аэробусов: американские инженеры считали, что баки для горючего должны быть вместительнее, однако изготовляли самолеты в штате Юта, а перевозить должны были во Флориду по железной дороге, стало быть, следовало учесть ширину тоннелей. В результате американцам пришлось примириться с размером, который римляне сочли в свое время идеальным».

Вы спросите: «Какое отношение все это имеет к супружеству?»

Я помолчал. Кое-кого из публики рассуждения о рельсах не интересовали, и они начали переговариваться между собой. Другие слушали меня с чрезвычайным вниманием — и среди них были Михаил и Мари.

— Самое прямое. И к супружеству, и к двум историям, которые вы только что выслушали. На данном этапе нашей цивилизации некто появился и сказал, что, вступив в брак, двое людей до конца дней своих словно примерзают друг к другу. Следуя издавна установленной модели, они будут двигаться по жизни на одном и том же расстоянии друг от друга, как рельсы кладут. Может прийти необходимость немного отдалиться или, наоборот, сильнее сблизиться, но нет, нельзя, это против правил! Правила гласят: «Будьте благоразумны, думайте о будущем, помните о детях! Вам не позволено меняться, вы должны быть как рельсы — на равном расстоянии друг от друга и в начале перегона, и на середине пути, и в пункте назначения. Не позволяйте любви принимать иные формы, усиливаться в начале, ослабевать в середине, ибо это слишком рискованно!

И пусть уже схлынуло первоначальное упоение, и накал уже не тот, однако извольте сохранять прежнюю дистанцию, прежнюю прочность отношений, прежнюю, я бы сказал, функциональность. Вы служите тому, чтобы поезд под названием «Сохранение вида» двигался в будущее, и дети ваши будут счастливы в том лишь случае, если вы всегда будете в 143,5 см дистанции друг от друга — не ближе, не дальше. Если вас не устраивает неизменность, вспомните о детях, которых вы привели в этот мир.

Подумайте о своих соседях. Покажите, что счастливы, что по воскресеньям едите *шурраско**, что смотрите телевизор, что не чураетесь членов своей общины. Думайте про общество — появляйтесь там с таким видом, чтобы все подумали, что у вас с женой не бывает ссор. Не смотрите по сторонам, кто-нибудь может перехватить ваш взгляд, а

---

* Мясо, изжаренное на углях.

это — искушение, а оно может означать развод, нервный срыв, депрессию.

Улыбайтесь, когда вас фотографируют. А фотографии развесьте у себя в гостиной — пусть все видят. Следите за весом, занимайтесь спортом — прежде всего занимайтесь спортом, он поможет вам сохраниться в замороженном виде. Когда и это перестанет действовать, решитесь на пластическую операцию. Только никогда не забывайте — в некий час эти правила были установлены, и их должно соблюдать. Кем установлены? Да не важно, никогда не задавайте подобных вопросов, правила будут действовать во веки веков, даже если вы с ними не согласны.

Сажусь на место. Кое-кто восторженно аплодирует, кое-кто остается безразличен, а я не знаю, не слишком ли далеко зашел. В устремленном на меня взгляде Мари восхищение перемешано с удивлением.

Девушка на сцене встряхивает поднос.

Говорю Мари, что выйду покурить, а она пусть посидит.

— Сейчас будет танец в честь любви — «Госпожи».

— Ты можешь курить здесь.

— Мне надо побыть одному.

Хоть и начало весны, а холодно. Но меня потянуло на чистый воздух. Зачем я рассказал эту историю? Ведь наши отношения с Эстер были совсем не похожи на рельсы — неизменно идущие параллельно друг другу, не сближающиеся и не удаляющиеся друг от друга. У нас были взлеты и падения, то один, то другой грозил уйти навсегда — и все-таки мы оставались вместе.

А два года назад — перестали.

Или же мы оставались вместе до той минуты, когда Эстер пожелала узнать, почему она несчастлива.

Ох, не надо задавать себе этот вопрос — он несет в себе губительный вирус, способный все уничтожить. Спросишь об этом — непременно заинтересуешься тем, а что же дарует нам счастье. Если то, что делает нас счастливыми, отличается от того, чем мы живем, придется либо круто менять жизнь, либо стать еще более несчастными.

Вот и я теперь оказался в таком положении: у меня есть подруга — настоящая личность, у меня есть стронувшаяся с мертвой точки работа, и есть реальная возможность того, что со временем все вновь придет в равновесие. Лучше бы смириться. Принять то, что посылает мне судьба, не следовать примеру Эстер, не обращать внимания на то, что читаю я в глазах людей, вспоминать слова Мари, создать рядом с нею мое новое бытие.

Нет, я должен гнать от себя такие мысли! Если я буду совершать именно те поступки, которых ждут от меня люди, я попаду к ним в рабство. Чтобы избежать этого, потребуются неимоверные усилия, ибо всегда хочется кого-то обрадовать, и в первую очередь — самого себя. А если сделаю так, то потеряю уже не только Эстер, но и Мари, и мою работу, мое будущее, уважение к себе и ко всему тому, что я сказал и написал.

Я вернулся в зал, когда публика начинала расходиться. Появился уже переодевшийся Михаил.

— То, что произошло в ресторане...

— ...не должно вас беспокоить. Пойдемте побродим по берегам Сены.

Мари, угадав мою невысказанную просьбу, сказала, что сегодня ей надо лечь пораньше. Я попросил подвезти нас на такси к мосту, расположенному как раз напротив Эйфелевой башни, — оттуда я смогу добраться до дому пешком. Хотел было спросить, где живет Михаил, но подумал, что это может быть истолковано как попытка убедиться собственными глазами в том, что Эстер там нет.

По дороге Мари настойчиво расспрашивала Михаила, что же такое эти «встречи», а он отвечал одно и то же — способ восстановить любовь. Воспользовавшись случаем, он добавил, что ему понравилась моя история о рельсах.

— Именно от этого и погибает любовь. От того, что мы стремимся установить незыблемые правила, согласно которым она и должна проявляться.

— А когда это было? — осведомилась Мари.

— Не знаю. Знаю только, что можно вернуть Энергию Любви. Я знаю это потому, что, когда танцую или когда слышу *Голос*, Любовь говорит со мной.

Мари не поняла насчет голоса, но тут машина подъехала к мосту. Мы с Михаилом вышли и зашагали в холодную парижскую ночь.

— *П*онимаю, что напугал вас... Самое опасное — если западет язык, тогда может наступить удушье. Хозяин пиццерии знал, как следует поступать в таких случаях, из чего я заключаю, что подобное уже бывало в его заведении. Это не такая уж редкость. Однако он поставил мне неправильный диагноз — я не страдаю эпилепсией. Это был контакт с Энергией.

«Страдаешь, страдаешь», — мысленно возразил я, однако вслух не произнес ни слова. Надо было контролировать ситуацию — меня и без того удивило, как легко на этот раз он согласился встретиться со мной.

— Вы мне нужны, — сказал Михаил. — Мне нужно, чтобы вы написали о том, как важна любовь.

— Все знают, как важна любовь. Об этом написаны едва ли не все книги на свете.

— Хорошо, я выражусь иначе: мне нужно, чтобы вы написали о новом Возрождении.

— А что это такое?

— Нечто, подобное тому явлению, которое возникло в Италии в XV–XVI веках, когда гении вроде Эразма, Леонардо или Микеланджело перестали ограничивать себя настоящим, отринули гнет условностей своего времени и обратились к прошлому. Что-то похожее происходит и сейчас — мы воскрешаем язык магии и алхимии, идею Матери-Богини и обретаем свободу делать то, во что верим, а не то, чего требуют церковь или государство. Как во Флоренции 1500-х годов, мы обнаруживаем, что прошлое содержит ответы на вопросы, которые задает будущее. Вспомните свой недавний рассказ — в каких только сферах не поступаем мы в соответствии с некими шаблонами, хоть и не понимаем их смысл? Люди читают ваши книги, и неужели же вы не возьметесь за эту тему?

— Я никогда не пишу по заказу и на заданную тему, — отвечал я, вдруг припомнив, что должен поддерживать самоуважение. — Если предмет меня интересует, если он находит отзвук в моей душе, если корабль под названием «Слово» доставит меня к одному из этих островов, тогда, может быть, я и напишу. Но к тому, что я разыскиваю Эстер, это не имеет никакого отношения.

— Знаю и не ставлю вам условия. Всего лишь предлагаю то, что кажется мне важным.

— Эстер что-нибудь говорила вам о Банке Услуг?

— Говорила. Но речь не о Банке Услуг, а о поручении, которое я не могу выполнить один.

— Поручение — это то, что вы делаете в армянском ресторане?

— Это — лишь часть. По пятницам мы работаем с нищими. По средам — с новыми кочевниками.

Что еще за «новые кочевники»? Нет, лучше не спрашивать: Михаил был сейчас не похож ни на того надменного субъекта в пиццерии, ни на осененного благодатью пророка из армянского ресторана, ни на застенчивого любителя автографов — нормальный, обычный человек, приятель, с которым можно скоротать вечерок, обсуждая мировые проблемы.

— Я могу написать лишь о том, что по-настоящему трогает мне душу, — настаивал я.

— Хотите пойти со мной и поговорить с нищими?

Я вспомнил рассказы Эстер и фальшивую скорбь в глазах тех, несчастней кого нет на свете.

— Я должен подумать.

Мы уже приближались к Лувру, но Михаил остановился, облокотился на парапет набережной, и какое-то время мы смотрели на проплывающие по Сене корабли — их прожектора слепили нам глаза.

— Видите, что они делают, — сказал я, чувствуя необходимость продолжить разговор, потому что боялся: Михаилу станет скучно, и он захочет уйти домой. — Они рассматривают то, что освещают прожекторы. Вернутся домой — скажут, что повидали Париж. Завтра они должны посмотреть Мону Лизу — скажут, что побывали в Лувре. Они не знают Парижа и они не были в Лувре — они прокатились на пароходике по Сене и посмотрели одну картину — одну-единственную. В чем разница между порнофильмом и актом любви? Такая же, как между экскурсией по городу и попыткой понять, что происходит в нем, побывать в барах, побродить по улицам, которые не значатся в путеводителях, потеряться и — обрести самого себя.

— Меня восхищает ваша выдержка. Говорите о пароходиках на Сене и выбираете удобный момент, чтобы задать мне вопрос, ради которого и встретились со мной. Не стесняйтесь — прямо спрашивайте обо всем, что бы вам хотелось узнать.

В голосе его я не почувствовал никакой агрессивности и потому решился:

— Где Эстер?

— В физическом плане — очень далеко отсюда, в Центральной Азии. В плане духовном — совсем рядом: меня днем и ночью сопровождает ее улыбка, я ни на миг не забываю о ее словах, полных восторженной веры. Это ведь она привезла сюда меня — мне шел двадцать первый год, я был нищим юнцом, у меня не было будущего. Односельчане считали меня то ли слабоумным, то ли больным, то ли колдуном, заключившим сделку с дьяволом, а городские — просто деревенщиной, приехавшим искать работу.

Когда-нибудь я расскажу вам о себе поподробней, а пока ограничусь вот чем — я говорил по-английски и начал работать переводчиком Эстер. Мы были на границе той страны, куда она стремилась попасть: американцы строили там военные базы, готовясь к вторжению в Афганистан. Визу получить было невозможно, и я помог Эстер нелегально перейти границу — провел ее горными тропами. Мы провели вместе неделю, и она заставила меня поверить, что я — не один, что она меня понимает.

Я спрашивал, почему ее занесло так далеко от дома. Вначале она давала уклончивые ответы, но потом наконец рассказала то, что должна была рассказать, — она ищет место, где таится счастье. А я поведал ей о своем предназначении — добиться того, чтобы Энергия Любви вновь распространилась по миру. По сути дела, оба мы с ней искали одно и то же.

Эстер отправилась во французское посольство и добилась того, что мне выдали визу как переводчику с казахского, хотя у меня на родине все говорят только по-русски. Я обосновался здесь, в Париже. С Эстер мы виделись каждый раз, как она возвращалась из своих командировок за границу, и еще дважды побывали в Казахстане: ее необыкновенно интересовала культура тенгри — в ней она надеялась получить ответы на все, что ее волновало.

Мне хотелось спросить, что такое «культура тенгри», но с этим вопросом можно было и подождать. Михаил продолжил свой рассказ, и в глазах его я узнал свою собственную тоску по Эстер:

— Мы начали работать здесь, в Париже: это она придумала собирать людей раз в неделю. «Как бы ни строились человеческие взаимоотношения, — твердила она, — самое главное в них — это разговор, и как раз этого люди в наше время лишены: теперь не принято сесть, послушать других, высказаться самому. Люди ходят в театр и в кино, смотрят телевизор, слушают радио, читают книги, но почти не разговаривают друг с другом. Если мы хотим изменить мир, нам следует вернуться в те времена, когда воины собирались вокруг костра и по очереди рассказывали истории».

Я вспомнил слова Эстер — все самое главное в нашей с ней жизни родилось из долгих диалогов за столиком в баре, на улицах, на аллеях парка.

— Мне принадлежит идея собираться по четвергам — так предписывает обычай, в котором я был воспитан. А Эстер предложила время от времени выходить по ночам в Париж: она говорила, что одни лишь нищие не притворяются, что счастливы, — наоборот, прикидываются несчастными.

Она дала мне прочесть ваши книги. И я понял, что вы — хоть, может, и бессознательно — рисуете себе в воображении тот же мир, что и мы с ней. Я понял, что не одинок, хотя *Голос* слышится мне одному. Мало-помалу, по мере того как люди стали посещать наши «встречи», я обрел уверенность в том, что смогу выполнить данное мне поручение, помочь Энергии вернуться — пусть даже для этого придется и нам вернуться в прошлое, к той минуте, когда она исчезла или скрылась.

— Почему Эстер оставила меня?

Мой вопрос слегка раздосадовал Михаила.

— Потому что она любит вас. Сегодня вы приводили в пример рельсы — так вот, она не хочет, чтобы ее жизнь неизменно оставалась параллельна вашей. Она не следует правилам, и, думаю, вы — тоже. Надеюсь, вы понимаете, что и я остро ощущаю ее отсутствие.

— И значит...

— И значит, если вы хотите найти Эстер, я могу сказать, где она находится. У меня уже однажды возникало это побуждение, но *Голос* тогда сказал, что время еще не пришло, что никто не смеет тревожить Эстер в ее встрече с Энергией Любви. Я не мог ослушаться *Голоса* — *Голос* защищает нас — меня, вас, Эстер.

— И когда же настанет это время?

— Может быть, завтра, может быть, через год, а может, и никогда не настанет. И в этом случае нам придется повиноваться. Ибо *Голос* — это и есть Энергия, и потому она сводит людей вместе лишь в ту минуту, когда они по-настоящему готовы к этому. Но мы-то все равно неизменно форсируем ситуацию — а в итоге слышим то, чего ни за что на свете не хотели бы слышать: «Уходи». Тот, кто не прислушивается к *Голосу*, кто приходит слишком рано или чересчур поздно, никогда не обретет желанное.

— Лучше услыхать «Уходи», чем сутками напролет пребывать с *Заиром*. Если Эстер произнесет это слово, она перестанет быть моей навязчивой идеей, а станет просто женщиной, которая живет и думает иначе, нежели я.

— *Заир* исчезнет, зато появится огромная потеря. Если мужчине и женщине удается проявить Энергию, они помогают всем мужчинам и женщинам на свете.

— Вы меня пугаете. Я люблю ее. Вы это знаете и сказали минуту назад, что и она меня еще любит. Я не знаю, что значит «быть готовым», и не могу жить, исполняя или обманывая чьи-то ожидания — даже если это ожидания Эстер.

— Насколько я мог понять из наших с нею бесед, в какой-то миг вы потеряли себя. Мир стал вращаться вокруг вас — исключительно вокруг вас.

— Неправда. Эстер была вольна создать собственный путь. Она решила стать военной корреспонденткой, хотя я возражал. Она сочла нужным искать причину того, почему люди несчастны, как я ни доказывал ей, что это непостижимо. Неужели она хочет, чтобы я стал рельсом, который лежит параллельно другому рельсу на каком-то дурацком расстоянии от него, а расстояние это определили древние римляне?

— Нет, не хочет. Скорее — наоборот.

Михаил снова зашагал по набережной, а я последовал за ним.

— Вы верите, что я слышу *Голос*?

— По правде говоря, сам не знаю. Но раз уж мы оказались здесь, хочу вам кое-что показать.

— Все думают, что я страдаю эпилептическими припадками. И пусть думают: мне так проще. Но этот *Голос* слышится мне с детства, с того дня, как я увидел женщину.

— Какую женщину?

— Потом расскажу.

— На каждый мой вопрос вы отвечаете: «Потом расскажу».

— *Голос* что-то говорит мне. Я знаю, что вы встревожены или напуганы. В пиццерии, почувствовав порыв горячего ветра, увидев свет, я понял — это признаки моей связи с Властью. И связь эта поможет нам обоим.

Если вы сочтете, что все это не более чем бред молодого эпилептика, который хочет сыграть, так сказать, на чувствах знаменитого писателя, я завтра же вручу вам карту, где будет отмечено местопребывание Эстер. И вы сможете отправиться за ней. Но *Голос* говорит мне что-то...

— Можно ли узнать, что именно, или вы потом расскажете?

— Не потом, но и не сию минуту: я еще неясно различаю смысл послания.

— Тем не менее вы обещаете дать мне адрес Эстер?

— Обещаю. Именем Божественной Энергии Любви — обещаю вам это. Так что вы собирались мне показать?

Я указал на позолоченное изваяние девушки верхом на коне.

— Вот это. Она тоже слышала *голоса*. Покуда люди с уважением относились к тому, что она говорила, все шло хорошо. Когда же они начали сомневаться, ветер победы подул в другую сторону.

Жанна д'Арк, Орлеанская Дева, героиня Столетней войны. Ей не было восемнадцати, когда король поручил ей командовать французскими войсками, потому что... потому что она слышала голоса, и эти голоса подсказывали ей наилучший план действий для того, чтобы разбить англичан. Два года спустя ее обвинили в том, что она ведьма, и приговорили к сожжению на костре. В одной из книг я использовал протокол ее допроса, датированный 24 февраля 1431 года:

Будучи спрошена доктором Жаном Бопером, слышала ли она голоса, отвечала: «Слышала трижды, вчера и сегодня. Когда звонили к заутрене и потом, когда звонили «Аве-Марию»...

На вопрос, звучал ли голос в помещении, отвечала, что не знает, но была разбужена им.

Она спросила голос, что должно ей делать, и голос велел ей встать с кровати и сложить ладони.

Епископу же, который ее допрашивал, сказала:

«Вы считаете себя моим судьей. Но будьте очень осторожны в отношении того, что собираетесь делать, ибо

я — посланница Господа и вам грозит опасность. Голос открыл мне то, что я должна передать королю, но не вам. Голос, который я слышу (и уже давно), исходит от Бога, и я сильней опасаюсь противоречить ему, нежели вам».

— Вы, надеюсь, не намекаете, что я...

— Перевоплотившаяся Жанна д'Арк? Нет. Она погибла в 19, а вам уже 25. Она навела порядок во французском войске, а вы, судя по тому, что я услышал, и своей-то жизнью распорядиться не можете.

Мы снова присели у стены, окаймлявшей Сену.

— Я верю в знамения, — настойчиво произнес я. — И — в предначертанное. Верю, что каждый из нас ежедневно получает возможность узнавать, какое решение окажется наилучшим. Верю, что в какой-то миг сплоховал и утерял связь с женщиной, которую люблю. А сейчас я хочу лишь, чтобы круг замкнулся, а потому мне нужна карта. Я отправлюсь к Эстер.

Михаил глядит на меня. В эту минуту он, похоже, вновь впадает в транс — как тогда, в ресторане. Неужели у него сейчас начнется припадок? И что мне тогда с ним делать глубокой ночью, в безлюдном месте?

— Я обретаю силу — зримую и почти физически ощутимую... Я могу управлять ею, но не могу подчинить ее себе.

— Не лучшее время мы выбрали для таких разговоров. Я устал, да и вы тоже. Желательно было бы получить карту.

— *Голос... Слышу Голос...* Я вручу вам карту завтра днем. Куда принести?

Я диктую ему адрес, удивляясь, что ему не известно, где я жил с Эстер.

— Вы считаете, что я был любовником вашей жены?

— Я бы никогда не спросил вас об этом. Это меня не касается.

— Однако же тогда, в пиццерии, все же спросили.

Да, я и забыл об этом. Разумеется, меня это касается, но сейчас его ответ меня уже не интересует.

Выражение его глаз меняется. Я ищу в кармане что-нибудь, чем можно будет прижать ему язык, когда начнется припадок, однако Михаил успокаивается, овладевает собой.

— Сейчас я слышу *Голос*. Завтра я принесу вам карту, расписание авиарейсов и прочее. Верю, что Эстер ждет вас. Верю, что если двое — всего лишь двое людей — обретут счастье, весь мир станет счастливей. Однако *Голос* говорит мне, что завтра мы с вами увидеться не сможем.

— У меня ланч с американским актером — отменить эту встречу я не могу. Все остальное время — я в вашем распоряжении.

— Однако *Голос* говорит не так.

— Он запрещает вам помогать мне в поисках Эстер?

— Нет... Повинуясь *Голосу*, я пришел тогда за автографом. С того дня я более или менее отчетливо представлял себе ход событий — потому что прочел «Время раздирать и время сшивать».

— Ну, так что же... — начал я, замирая от страха при мысли о том, что Михаил заговорит о другом. — Давайте завтра осуществим то, о чем условились... После двух я свободен.

— Но *Голос* говорит мне, что время еще не пришло.

— Вы же обещали.

— Хорошо, будь по-вашему.

Он протянул мне руку и сказал, что завтра во второй половине дня будет у меня. Последними его словами в ту ночь были:

— *Голос* говорит, что это произойдет не раньше назначенного часа.

А я, вернувшись домой, слышал лишь один голос — голос Эстер, говоривший мне о любви.

— *Л*ет в пятнадцать я была одержима сексом и пыталась понять, что это такое. Но он считался грехом и был под запретом. И для меня было непостижимо — почему? Можешь?.. Можешь объяснить мне, почему все религии — даже самые первобытные — и в любом уголке земного шара считают секс чем-то запретным?

— Тебя стали занимать такие головоломные вопросы? Ну и почему секс оказался под запретом?

— Из-за еды.

— То есть?

— Тысячелетия назад племена кочевали, и люди, свободно совокупляясь, заводили детей, но чем многочисленней становилось племя, тем больше у него было шансов исчезнуть. Люди дрались за еду, убивая сначала самых слабых — детей и женщин. Выживали сильнейшие, но все они были мужчинами. А мужчины без женщин не могут сохранить вид.

И тогда кто-то, поглядев на творившееся в соседнем племени, решил не допустить такого у себя. И придумал вот что: боги запрещают мужчинам совокупляться со всеми женщинами подряд. Каждый мог иметь только одну наложницу, самое большее — двух. Кое-кто из мужчин был бессилен, кое-кто из женщин — бесплоден, у какой-то части племени детей не было по естественным причинам, но никто не имел права сменить партнера.

И все поверили этому человеку, вещавшему от имени богов, — поверили, потому что он чем-то должен был выделяться среди других людей. У него должна была быть некая особенность — уродство или болезнь, вызывающая судороги, или какой-то редкий дар — словом, некое отличие. Именно так появились первые лидеры. И в считанные годы племя стало сильным, ибо в нем осталось определенное количество мужчин, способных прокормить всех членов рода, определенное количество женщин, способных к деторождению, определенное количество детей, которые подрастали и постепенно увеличивали число первых и вторых — охотников и матерей. Знаешь ли ты, что дает женщине наивысшее наслаждение?

— Секс.

— Ответ неверный. Главная отрада замужней женщины — кормить. Смотреть, как ест ее муж. Это — миг ее торжества, ибо весь день она думала об ужине. Вероятно, истоки этого уходят в какую-то седую старину, когда мог настать голод, когда грозило вымирание и когда был обнаружен путь к выживанию.

— Ты жалеешь о том, что у нас нет детей?

— Но ведь их не случилось, не так ли? Как может не хватать того, что не случилось?

— А как ты считаешь: будь у нас дети, наш брак был бы иным?

— Откуда же мне знать? Я могу лишь смотреть на моих друзей и подруг и спрашивать себя — они стали счастливей от того, что у них есть дети? Одни стали, другие — нет. Можно обрести счастье в детях, но это не улучшает и не ухудшает супружеские отношения. Эти люди — что с детьми, что без детей — по-прежнему считают себя вправе кон-

169

тролировать жизнь своего спутника. По-прежнему уверены, что обещание «быть счастливым до гроба» должно быть исполнено, пусть даже ценой ежедневного ощущения того, что ты — несчастлив.

— Война плохо на тебя подействовала, Эстер. Из-за нее ты соприкоснулась с реальностью, которая совсем не похожа на ту жизнь, которую мы ведем здесь. Да, я знаю, что когда-нибудь умру, и поэтому отношусь к каждому новому дню как к дарованному мне свыше чуду. Но это не заставляет меня упорно вникать в такие предметы, как любовь, счастье, секс, пропитание, брак.

— Война не дает мне думать. На войне я просто *существую* — и все на этом. Когда сознаю, что в любой миг меня может прошить шальная пуля, я говорю себе: «Как хорошо, что не надо тревожиться о том, что будет с моим ребенком». Но еще я говорю: «Как жаль — я умру, и от меня ничего не останется. Я оказалась способна лишь потерять жизнь, а принести ее в мир — нет».

— С нами творится что-то не то? Я спрашиваю потому, что мне порой кажется — ты хочешь мне сказать что-то важное, но потом не поддерживаешь разговор.

— Да, что-то не то... Мы с тобой *обязаны* быть счастливы вместе. Ты считаешь, что обязан мне всем, что есть в тебе сейчас, я считаю, что должна быть польщена тем, что рядом — такой человек, как ты.

— Я живу с женщиной, которую люблю. И, не всегда сознавая это, спрашиваю себя порой: «Что со мной не так?»

— Замечательно, что ты понимаешь это. И с тобой все так, и со мной — тоже, хоть и я задаю себе этот вопрос.

Беда в том, *как* мы с тобой теперь стали проявлять свою любовь. Если признаем, что это создает трудности, то сумеем с этими трудностями сжиться и стать счастливыми. Это была бы постоянная борьба, и благодаря ей мы оставались бы живыми, деятельными, активными и покоряли бы одну вселенную за другой. Но мы с тобой движемся в ту точку, где трудности и проблемы сглаживаются, приспосабливаются к нам. Где любовь перестает порождать проблемы и столкновения — и становится всего лишь решением.

— И что же здесь не так?

— Все. Я чувствую, что энергия любви, то, что называется страстью, больше не пронизывает ни мое тело, ни душу.

— Но ведь что-то же остается?

— Остается? Неужели всякий брак должен завершиться тем, что страсть уступает место тому, для чего придуман термин «устоявшиеся отношения»? Ты нужен мне. Мне не хватает тебя. Порой я ревную тебя. Мне нравится думать о том, что подать тебе на ужин, хотя ты иногда не замечаешь, что ешь. Все это так. Но исчезла радость.

— Никуда она не исчезла. Когда ты далеко, мне хочется, чтобы ты была рядом. Я воображаю, как и о чем мы с тобой будем разговаривать, когда ты или я вернемся домой. Я звоню тебе узнать, все ли в порядке, мне ежедневно надо слышать твой голос. Заявляю со всей ответственностью, что по-прежнему влюблен в тебя.

— То же самое происходит и со мной. Но вот разлука кончается — и мы начинаем спорить, ссориться по пустякам, и каждый хочет переделать другого, хочет навязать ему свой взгляд на мир. И порой, в безмолвии наших сердец оба мы говорим себе: «Как хорошо, наверно, быть свободным и не нести никаких обязательств».

— Ты права. И в такие минуты я чувствую себя совершенно растерянным, потому что знаю — я живу с той, кто мне желанна и дорога.

— И я живу с мужчиной, которого хотела бы постоянно иметь рядом.

— Ты считаешь, что это можно изменить?

— Чем старше я становлюсь, тем реже смотрят на меня другие мужчины, тем чаще я думаю: «Лучше все оставить как есть». Я уверена, что смогу обманывать себя до конца дней. Но каждый раз, попадая на войну, я вижу — существует любовь, которая неизмеримо сильней той ненависти, которая заставляет людей убивать друг друга. И в эти минуты — только в эти минуты — я считаю, что все можно изменить.

— Но ты не можешь все время быть на войне.

— Но и в том подобии мира, который я обретаю рядом с тобой, — тоже не могу. Ибо оно уничтожает единственную мою ценность — мои отношения с тобой. Хотя накал нашей любви остается прежним.

— Миллионы людей во всем мире думают сейчас о том же самом, но сопротивляются упадку, борются с ним — и он проходит. Переживают кризис, другой, третий, и наконец обретают спокойствие.

— Ты сам знаешь, чего оно стоит. Если бы не знал, то не смог бы написать свои книги.

Ланч с американцем я решил устроить в пиццерии Роберто — надо было срочно предпринять какие-то шаги, чтобы сгладить дурное впечатление от нашего последнего визита. Уходя, предупредил прислугу и консьержа: если не успею вернуться в назначенное время и в мое отсутствие появится молодой человек с монголоидным лицом, следует во что бы то ни стало пригласить его войти, подняться, подождать, угостить его, чем он пожелает. Если же он не сможет дождаться меня, попросите оставить то, что он принес для меня.

Короче говоря, пока не отдаст — не отпускать!

Я взял такси и на углу бульвара Сен-Жермен и улицы Сен-Пер попросил остановить. Моросил мелкий дождь, но надо было пройти всего метров триста — и вот он, ресторан со скромной вывеской, и радушная улыбка Роберто, который время от времени выходит наружу покурить. Навстречу мне по узкому тротуару шла женщина с детской коляской. Нам было не разойтись, и, пропуская ее, я шагнул на мостовую.

И тут, как в замедленной съемке, мир перевернулся: небо стало землей, земля — небом, я даже сумел разглядеть во всех подробностях верхнюю часть углового дома: я столько раз проходил мимо, но никогда не смотрел вверх. Помню чувство безмерного удивления, свист ветра в ушах, отдаленный собачий лай, а потом все исчезло во тьме.

Меня с огромной скоростью несло в черную дыру тоннеля, в конце которого брезжил свет. Но, прежде чем я долетел до него, чьи-то невидимые руки с неимоверной силой дернули меня назад, и я очнулся от голосов и криков, звучавших вокруг. Все это продолжалось никак не более нескольких секунд. Ощутил вкус крови во рту, запах мокрого асфальта и понял, что стал жертвой дорожно-транспортного происшествия. Я одновременно и пришел в себя, и оставался без сознания: попытался, но не смог шевельнуться, различил распростертое рядом тело и, вдохнув аромат туалетной воды, подумал: Боже, неужели это та самая женщина с коляской?!

Кто-то попытался поднять меня. Я крикнул, чтобы не трогали, что это опасно, — из какого-то давнего и случайного разговора я запомнил, что, если у пострадавшего сломаны шейные позвонки, любое неосторожное движение может привести к параличу.

Я отчаянно старался сохранить сознание, я ждал боли, которая так и не пришла, я попытался пошевелиться, но счел, что лучше будет этого не делать. Я впал в столбняк, в оцепенение, в ступор. Снова попросил не трогать меня, услышал, как завывает сирена, и понял, что могу уснуть и больше не цепляться за жизнь — сохраню ли я ее или потеряю, зависело теперь не от меня, а от врачей, от санитаров, от везения, от Бога.

Потом я стал слышать голос какой-то девочки: она называла свое имя, так и не отпечатавшееся в моей памяти, просила не волноваться, повторяла, что все будет хорошо и я не умру. Мне хотелось верить ее словам, я молил ее не уходить, остаться рядом со мной, но она сейчас же куда-то исчезла. Я увидел, как на шею мне надевают пластмассовый хомут, а лицо закрывают маской, и опять погрузился в сон, на этот раз — без сновидений.

Когда я очнулся, не существовало ничего, кроме ужасного звона в ушах: все прочее было тьмой и тишиной. Потом все поплыло, и я без колебаний решил, что это несут мой гроб, а меня сейчас похоронят заживо.

Я хотел было застучать в стенки или в крышку, но не мог сделать ни единого движения. Какое-то время, показавшееся мне вечностью, я чувствовал, что меня толкают вперед, что я уже ничего не контролирую, и в этот миг, собрав последние силы, издал крик, и он, гулко раскатившись в этом замкнутом пространстве, вернулся ко мне, едва не оглушив. Но я знал, что, закричав, сумел спастись, ибо сейчас же у моих ног появился свет. Стало быть, обнаружили, что я не покойник!

Свет — благословенный свет, избавивший меня от самой страшной муки удушья, — медленно заскользил по моему телу, и вот наконец сняли крышку гроба. Я был весь в ледяной испарине, ощущал неимоверную боль, но был доволен, испытывал облегчение: они спохватились, обнаружили ошибку! Какая радость — возвращение в этот мир!

Свет тем временем добрался до моих глаз, влажная рука дотронулась до моей руки, и златовласый ангел в белых одеждах утер мне холодный пот со лба.

— Не волнуйтесь, — произнес ангел. — Я не ангел, и это — не гроб, а томограф, и вы не умерли. Мы хотели определить возможные повреждения. Вроде бы ничего серьезного, но все же нам придется за вами понаблюдать.

— Неужели все кости целы?

— Вы сильно расшиблись — сплошные ссадины и кровоподтеки. Вы пришли бы в ужас, если бы могли видеть свое лицо, но через несколько дней все заживет.

Я попытался приподняться, но ангел мягко удержал меня. Тут я почувствовал сильную головную боль и застонал.

— Вас сбила машина. Это вполне естественно, как по-вашему?

— По-моему, вы меня обманываете, — с усилием выговорил я. — Я взрослый человек, жизнь я прожил с толком и могу принять любое известие, не впадая в панику. Впечатление же такое, что голова сейчас лопнет.

Еще двое в белом переложили меня на каталку. Я почувствовал на шее какое-то ортопедическое устройство.

— Прохожие слышали, что вы просили вас не трогать, — сказал ангел. — Прекрасное решение. Поносите некоторое время этот воротник, и, если обойдется без неприятных сюрпризов, можно будет считать, что вы отделались испугом — пусть и не легким и что вам очень повезло.

— Сколько мне тут лежать? Я не могу задерживаться надолго...

Никто не отозвался. У входа в кабинет меня ждала улыбающаяся Мари — вероятно, врачи сказали ей, что ничего серьезного. Она погладила меня по голове, скрывая ужас, который наверняка внушало ей мое обезображенное лицо.

По больничному коридору двинулся небольшой кортеж — Мари, двое санитаров, везших каталку, и ангел в белых одеждах. Голова у меня болела все сильней.

— Сестра, голова...

— Я не сестра, а дежурный врач. Скоро должен прийти ваш доктор. А насчет головы не волнуйтесь: когда подобное случается, срабатывает защита, и организм перекрывает кровеносные сосуды, чтобы избежать кровоизлияния. А когда выясняется, что опасности нет, они вновь открываются, кровоснабжение восстанавливается, и это приводит к болезненным ощущениям... Вот и все. Если хотите, могу дать вам снотворное.

Я отказываюсь. И вспоминаю слова, будто всплывшие из какого-то потаенного уголка души:

«*Голос* говорит, что это произойдет не раньше назначенного часа».

Михаил не мог знать заранее. Невероятно же, чтобы все, случившееся на углу бульвара Сен-Жермен и улицы Сен-Пер, было результатом всеобъемлющего заговора, чего-то, предопределенного богами, которые, хоть и заняты сверх меры заботами о нашей разрушающейся планете, бросили все свои дела для того лишь, чтобы расстроить мою встречу с *Заиром*. Михаил решительно не мог провидеть будущее, если только... если только и в самом деле не услышал голос, если только существует некий план и все обстоит куда серьезней, чем я предполагал.

Все это, пожалуй, чересчур для меня — и улыбка Мари, и возможность внимать голосу, и голова, которая болит просто нестерпимо.

— Доктор, я передумал — хочу заснуть, боль невыносимая.

Она отдает какое-то распоряжение санитару, тот уходит и возвращается еще до того, как мы доезжаем до дверей палаты. Я чувствую укол и погружаюсь в сон.

Проснувшись, начал расспрашивать о подробностях происшествия — уцелела ли та женщина, которая шла мне навстречу, что случилось с ее ребенком. Мари сказала, что мне нужен покой, но доктор Луи, мой лечащий врач и друг, счел, что можно и рассказать. Выяснилось, что на меня налетел мотоциклист — это его распростертое тело я видел на мостовой в двух шагах от себя. Юношу доставили в ту же больницу, но и он отделался ушибами и ссадинами. Полицейское расследование установило, что в момент наезда я находился посреди проезжей части и, стало быть, подвергал риску жизнь мотоциклиста.

Иными словами, виновником происшествия был я, однако юноша решил не возбуждать дело. Мари уже побывала у него, поговорила с ним и узнала, что он — эмигрант, работающий в Париже нелегально, а потому боится обращаться в полицию. По счастью, в тот день он был в шлеме, и это сильно уменьшает риск неприятных последствий. Сутки спустя его уже выписали.

— То есть как это — «сутки спустя»? Хотите сказать, что я здесь...

— Три дня. После того как вам сделали магнитно-резонансную томографию, дежурный врач позвонила мне и спросила, можно ли провести вам курс успокаивающих средств. Поскольку вы были взвинчены, раздражены, угнетены, я разрешил.

— А что будет теперь?

— Еще два дня в больнице, и три недели придется носить этот воротник: самые опасные — первые сорок восемь часов, но они уже прошли. И все равно — какая-нибудь часть вашего организма может не захотеть вести себя как полагается, и тогда возникнут сложности. Но когда возникнут — тогда и будем об этом думать: зачем заранее переживать?

— Иными словами, я могу умереть?

— Как вам, наверное, известно, мы все не только можем, но и должны когда-нибудь умереть.

— Я спрашиваю, существует ли сейчас угроза жизни?

Доктор Луи помедлил с ответом.

— Да. Есть вероятность того, что образовался тромб, который в любую минуту может оторваться и закупорить сосуд, то есть вызвать эмболию. Еще есть вероятность, что какая-нибудь клетка обезумеет — тогда может развиться рак.

— Напрасно вы так говорите, доктор, — перебила его Мари.

— Мы дружим с ним уже пять лет. Он спросил — я ответил. А теперь извините — мне пора: у меня скоро начнется прием. Медицина — это не то, что вы думаете. Если в вашем мире мальчик выйдет купить пять яблок, а домой вернется только с двумя, вы решите, что три недостающих он съел по дороге. А у нас не так: у нас существует множество иных объяснений — может быть, съел, а может быть, его ограбили, или на пять яблок денег не хватило, или выронил где-нибудь, или встретил голодного и решил поделиться с ним... Вариантов — тысячи. В моем мире все возможно и все относительно.

— Что такое эпилепсия, доктор?

181

Мари мгновенно поняла, что я имею в виду Михаила, и не смогла сдержать свое неудовольствие. И сейчас же объявила, что ей пора на съемку.

Однако доктор Луи, который уже собирался уходить, задержался, чтобы ответить на мой вопрос:

— Переизбыток электроимпульсов в определенной зоне головного мозга приводит к судорожным припадкам большей или меньшей длительности. По поводу причин возникновения эпилепсии мнения расходятся... Большинство специалистов считают, что припадки происходят, когда пациент пребывает в сильном напряжении. У вас нет причин для беспокойства: хотя недуг может впервые проявиться в любом возрасте, едва ли его способны спровоцировать ваши травмы.

— Но что же порождает эту болезнь?

— Я ведь не психиатр... Если хотите, могу проконсультироваться.

— Хочу! И еще один вопрос, только, ради бога, не считайте, что я слегка повредился в рассудке: скажите, возможно ли, что эпилептики слышат некие голоса и обладают даром провидеть будущее?

— Неужели вам предсказали, что попадете под мотоцикл?

— Не так определенно, но можно было понять именно так.

— Простите, мне пора. А я еще обещал Мари подвезти ее на студию. Что касается эпилепсии, я расспрошу специалистов.

$\mathcal{P}$окуда Мари была далеко, *Заир* вернулся и занял свое прежнее место. Я знал, что, если Михаил исполнил свое обещание, дома меня ждет конверт с адресом Эстер — но мне вдруг стало страшно.

А что, если Михаил сказал правду?

Я пытался припомнить все в мельчайших подробностях — вот я ступил с тротуара на мостовую, автоматически огляделся по сторонам, увидел автомобиль, но я был на безопасном расстоянии от него. И все же меня сбил мотоциклист, который, вероятно, пытался обогнать машину и был вне моего поля зрения.

Я верю в знамения. После того как я прошел Путем Сантьяго, все преобразилось: то, что нам надлежит знать, постоянно находится у нас перед глазами, достаточно лишь оглядеться по сторонам внимательно и с уважением, чтобы понять, куда именно ведет нас Бог и какой шаг следует сделать в ту или иную минуту. Кроме того, я научился чтить тайну: как сказал Эйнштейн, Бог не играет со Вселенной в кости — все взаимосвязано и исполнено смысла. И пусть этот смысл почти всегда скрыт от нас, мы знаем, когда приближаемся к исполнению нашего истинного предназначения на земле — в такие мгновения все, что мы делаем, заряжено энергией воодушевления.

Есть она — значит, все хорошо. Нет — значит, лучше сразу же изменить курс.

Когда мы на верном пути, то следуем знакам и знамениям, и время от времени отклоняемся от цели, и тогда Высшая Сила приходит к нам на помощь, не давая совершить ошибку. Может быть, наезд мотоцикла — это знак свыше? Может быть, Михаил интуитивно воспринял сигнал, посланный мне?

Я подумал, что на оба эти вопроса следует ответить «да».

И не потому ли, что я принял свою судьбу, позволил Высшей Силе вести и направлять меня, я заметил, что *Заир* мало-помалу теряет накал. Мне стоило теперь лишь вскрыть конверт, прочесть адрес и позвонить в дверь Эстер.

Но знаки указывали, что время для этого еще не пришло. Если Эстер и в самом деле так важна для меня, если она все еще меня любит (а Михаил утверждал, что любит), то зачем форсировать ситуацию, которая приведет меня к совершению тех же самых ошибок, что уже были мною совершены когда-то?!

Как избежать их повторения?

Теперь, когда я лучше знаю себя, и происшедшие во мне перемены, и то, что вызвало эту выбоину на дороге, прежде даровавшей одну только радость.

Но разве этого достаточно?

Нет, нужно еще узнать, кем была Эстер и через какие преображения прошла она за то время, что мы вместе.

Но разве достаточно ответить лишь на два эти вопроса?

Нет. Есть еще и третий. «Почему нас свела судьба?»

Времени у меня в больничной палате было в избытке, и я новыми глазами взглянул на свою жизнь. Я всегда искал приключений и всегда хотел надежности — хоть и знал, что одно с другим сочетается плохо. Ни на миг не сомневаясь в своей любви к Эстер, я стремительно влюблялся в других, и всего лишь потому, что нет на свете игры увлекательней, чем обольщение.

Проявлял ли я, обнаруживал ли свою любовь? Может быть, но недолго, не всегда. А почему? Потому что считал:

в этом нет необходимости, она и так должна знать о ней и ни на миг не сомневаться в моих чувствах.

Помню, как много лет назад кто-то спросил меня, было ли что-то общее у моих возлюбленных. Ответ не замедлил: Я. И, осознав это, я увидел, сколько же времени было убито на поиски нужного человека — женщины менялись, я оставался прежним и не усваивал себе то, что нас сближало. У меня было много возлюбленных, но я всегда ждал нужного мне человека. Я подчинял и подчинялся, и отношения распадались, — но тут появилась Эстер, и картина переменилась полностью.

Я думал о своей бывшей жене с нежностью: миновало то время, когда я с упорством одержимого мечтал найти ее, узнать, почему она исчезла без объяснений. Хотя «Время раздирать и время сшивать» было настоящим исследованием моего последнего супружества, эта книга все же — и прежде всего — свидетельствовала о том, что я способен любить и чувствовать потерю. Эстер заслуживала чего-то лучшего, нежели слова, но даже и слова, простые слова так и не были произнесены за все то время, что мы были вместе.

Всегда нужно знать, когда заканчивается очередной этап твоей жизни. Замыкается круг, закрывается дверь, завершается глава — не важно, как ты это назовешь, важно оставить в прошлом то, что уже принадлежит прошлому. Постепенно я начинаю понимать, что уже не смогу вернуться назад и сделать мир вокруг меня таким, как когда-то, и эти два года, прежде представлявшиеся мне нескончаемой пыткой, теперь проявляют свой подлинный смысл.

И дело выходило далеко за рамки моих семейных неурядиц: любой мужчина, каждая женщина связаны с некой энергией — многие именуют ее любовью, а на самом деле — это тот первоэлемент, из которого и была создана Вселенная. Управлять этой энергией нельзя — это она мягко управляет нами; это в ней пребывает все, чему учит нас бытие. А захочешь использовать ее в своих целях — останешься ни с чем, и ждут тебя горчайшее разочарование, обманутые ожидания, безнадежность, ибо энергия эта вольна и дика.

До гробовой доски твердим, что любили когда-то кого-то или что-то, а на самом деле мы всего лишь страдаем, и потому страдаем, что вместо того, чтобы воспринять ее силу, пытаемся ослабить ее, тщеславясь иллюзией жизни.

И чем больше я думаю об этом, тем слабей становится *Заир* и тем ближе подхожу я к обретению самого себя. Я готовлю себя к долгой работе, которая потребует от меня размышлений безмолвных и упорных. Несчастный случай помог мне понять — не надо искусственно приближать то, для чего еще не настало «время сшивать».

Я вспомнил слова доктора Луи: после подобной травмы человек может умереть в любую минуту. А если так и произойдет? Если через десять минут мое сердце остановится?

Когда сиделка внесла в палату ужин, я осведомился:

— Вы уже задумывались о своих похоронах?

— Успокойтесь, — отвечала она. — Вы вне опасности и выглядите гораздо лучше.

— А я и не беспокоюсь. И знаю, что выживу, — некий голос известил меня об этом.

Я намеренно упомянул про «голос», желая немного спровоцировать ее. Сиделка взглянула на меня с подозрением, подумав, вероятно, что надо бы провести новые исследования и удостовериться, что мозг пациента не пострадал.

— Знаю, что выживу. Проживу еще день, еще год, еще лет тридцать или сорок. Но когда-нибудь, несмотря на все достижения науки, покину этот мир. И меня похоронят. Я думаю об этом уже сейчас и хотел узнать, случалось ли вам задумываться о своих похоронах.

— Нет, никогда. Но больше всего меня страшит мысль о том, что когда-нибудь все кончится.

— Хочешь или не хочешь, соглашаешься или возражаешь, но это — реальность, и от нее не уйти. Вы не против, если мы еще немного поговорим на эту тему?

— Меня ждут больные, — сказала она, поставила ужин на стол и торопливо вышла, почти выбежала из палаты. Нет, она спасалась бегством не от меня, а от моих слов.

Что ж, если сиделка не желает обсуждать со мной сей предмет, придется поразмышлять о нем в одиночестве. Я вспомнил строчки выученного еще в детстве стихотворения:

Когда она придет незваной гостьей,
Быть может, испугаюсь я. А может,
С улыбкою скажу: «Был день хорош,
И, значит, может ночь спуститься:
Ведь поле вспахано, и стол накрыт,
И в доме прибрано, и все на месте».

Да, я бы хотел, чтобы это так и было — все на месте, всему свое место. А какие слова выбьют на моей надгробной плите? И Эстер, и я написали завещания: оба мы предпочли кремацию. Мой прах я попросил развеять по ветру над местечком Себрейро, что на Пути Сантьяго. Эстер свой — над морем. Стало быть, никакой плиты и не будет.

Ну а все же — какие слова могли бы стать моей эпитафией? Пожалуй, вот эти:

«Смерть застала его в живых».

Может прозвучать бессмыслицей, но я знаю очень многих людей, которые перестали жить, хоть и продолжали работать, обедать и вращаться в обществе. Но все это они делали машинально, не постигая, что каждый новый день несет с собой магию; не чувствуя, что иногда следует остановиться и задуматься о чуде жизни; не понимая, что уже через мгновенье ты можешь исчезнуть с лица земли.

Да, бесполезно было объяснять все это сиделке — и прежде всего потому, что забрать посуду пришла не она, а другая, которая (вероятно, по распоряжению врачей) сразу взяла со мной очень жесткий тон. Она спросила, помню ли я, как меня зовут, какой нынче год, как фамилия президента США, да и все прочие ее вопросы были из разряда тех, которые задают людям в том случае, когда хотят удостовериться, что они не слабоумные.

И все потому, что я поинтересовался тем, о чем стоило бы думать каждому: «Вы уже задумывались о своих похоронах?», «Вы знаете, что рано или поздно умрете?»

В ту ночь я уснул с улыбкой. *Заир* исчезал, Эстер возвращалась, и если не суждено мне будет дожить до утра, то, несмотря на все, что происходило в моей жизни, несмотря на все мои неудачи и поражения, несмотря на потерю любимой, на все несправедливости, которым подвергался я и подвергал других, — я пребуду живым до последней минуты и с полной уверенностью смогу утверждать:

«*Был день хорош,*
И, значит, может ночь спуститься».

Двое суток спустя я уже был дома. Мари готовила обед, я просматривал почту, накопившуюся за время моего отсутствия. Позвонивший снизу консьерж сообщил, что конверт, который я ждал на прошлой неделе, был доставлен и должен лежать у меня на столе.

Я поблагодарил и вопреки всему, что навоображал себе за минувшие два года, не бросился вскрывать этот конверт. За обедом я расспрашивал Мари о съемках, она меня — о том, что я намерен делать, потому что с ортопедическим воротником на шее особенно не разгуляешься. Она сказала, что в случае надобности побудет со мной.

— У меня запланирована небольшая презентация для корейского телевидения, но я могу ее отложить или вообще отменить. В том случае, конечно, если тебе нужно мое общество.

— Общество твое мне очень нужно, и приятно знать, что ты — рядом.

Улыбнувшись, она взялась за телефон, связалась со своим импресарио и попросила изменить график встреч. Я слышал, как она произнесла: «...нет, не надо говорить, что заболела, я человек суеверный, и каждый раз, как ссылаюсь на болезнь, оказываюсь в постели. Скажите, что я ухаживаю за любимым человеком».

Возникло множество срочных дел — надо было перенести интервью на более поздний срок, ответить на приглашения, послать свои визитные карточки в знак благодарности за телефонные звонки и присланные цветы. Надо было заниматься текстами, предисловиями, рекомендациями. Мари проводила целые дни с моим агентом, перекраивая график встреч. Каждый вечер мы ужинали дома, ведя наподобие обычных супругов беседы то интересные, то банальные. Во время одного из таких ужинов, после нескольких бокалов вина, она объявила, что я переменился.

— Кажется, что близость смерти вернула тебя к жизни.

— Это случается со всеми.

— И позволь тебе заметить, что ты ни разу не вспомнил про Эстер. Так уже бывало, когда ты закончил «Время раздирать и время сшивать», эта книга тогда оказала на тебя целебное воздействие — жаль, что ненадолго.

— Ты хочешь сказать, что несчастный случай мог вызвать такие же последствия?

Хотя мой голос звучал безо всякой агрессии, Мари предпочла сменить тему разговора и начала рассказывать, как страшно ей было лететь на вертолете из Монако в Канны. Вечер завершился в постели, и любовь, которой мы занимались — хоть и не без труда: мешал мой ортопедический воротник, — сблизила нас еще больше.

Через четыре дня исчез гигантский ворох бумаг на моем столе. Остался только большой белый конверт, на котором значились мое имя и номер квартиры. Мари хотела было вскрыть его, но я ответил — нет, это не к спеху.

Она ни о чем меня не спросила — может быть, мне прислали сведения о состоянии моих банковских счетов или не предназначенное для посторонних глаз письмо от влюбленной женщины. И я ничего не стал объяснять, а просто убрал конверт со стола и сунул между книг. Если постоянно смотреть на него, *Заир* может вернуться.

Моя любовь к Эстер не уменьшилась ни на йоту, но каждый день, проведенный в больнице, воскрешал в памяти что-то интересное — и не наши с ней разговоры, а те мгновения, когда мы были вместе и молчали. Я вспоминал ее глаза — глаза девочки, которую неожиданное приключение приводит в восторг, глаза женщины, гордящейся успехом своего мужа, глаза журналистки, увлеченной тем, что пишет, и — с определенного момента — глаза жены, которой показалось, что в моей жизни ей больше места нет. Этот печальный взгляд появился еще до того, как Эстер захотела быть военной корреспонденткой, — после каждого ее возвращения он веселел, но уже через несколько дней становился прежним.

Однажды зазвонил телефон.

— Это он, — сказала Мари, передавая мне трубку.

Я услышал голос Михаила: сначала он выразил мне сочувствие по поводу случившегося, потом спросил, доставлен ли конверт.

— Да, он здесь.

— И вы намереваетесь встретиться с ней?

Мари стояла рядом, и потому я ответил:

— Поговорим об этом при встрече.

— Поверьте, я не вымогаю, но вы обещали мне помочь.

— Я тоже выполняю свои обещания. Мы увидимся, как только я начну выходить.

Он оставляет мне номер своего мобильного телефона, я даю отбой и тут замечаю, что Мари — совсем не та, что несколько минут назад.

— Итак, все по-прежнему.

— Нет. Все иначе.

Я должен был бы выражаться яснее: сказать, что еще хочу видеть Эстер, что знаю, где она сейчас. Что придет время — и я сяду в поезд, в такси, на самолет, и окажусь рядом с ней. Но сказать это — значит потерять женщину, которая в эту минуту рядом со мной, которая все приемлет и делает все возможное, чтобы доказать, как я важен для нее.

Да, я веду себя трусливо. Мне стыдно перед самим собой, но такова жизнь, а я по-своему — а как именно, объяснить не в силах — люблю Мари.

Я молчу еще и потому, что всегда верил в знамения и, вспоминая те минуты, когда мы с Эстер просто сидели молча, знаю: будет мне голос или не будет, объяснят ли мне или нет, но час нашей встречи еще не настал. И больше, чем на тех разговорах, что вели мы с ней, должен я сосредоточиться на нашем молчании — только оно даст мне свободу, без которой не постичь мир, где все идет правильно, не уловить миг, в который все пошло не так.

Мари — здесь, она смотрит на меня. Можно ли вести себя бесчестно с человеком, сделавшим для меня все? Мне не по себе, но ведь невозможно рассказать все как есть. Если только... если только не найти способ выразить свои чувства не напрямую.

— Мари, представь — двое пожарных входят в лес, чтобы потушить небольшой пожар. Потом, сделав свое дело, они садятся на берегу реки. У одного лицо — все в саже, пепле и гари, а второй — чист, как херувим. Вопрос: кто из двоих вымоет лицо?

— Глупый вопрос: кто выпачкался, тот и моется.

— Ответ неверный: он поглядит на своего товарища и решит, что и сам выглядит так же. И наоборот: тот, кто чист, поглядит на своего товарища и скажет себе: я перепачкался, надо вымыться.

— К чему ты это?

— К тому, что, пока лежал в больнице, понял: в женщинах, которых я любил, я всегда искал самого себя. Я глядел в их чистые свежие лица и видел в них собственное отражение. А они видели пепел и сажу на моем лице и, как бы умны и уверены в себе ни были, тоже в конце концов начинали отражаться во мне и считать себя хуже, чем на самом деле. Пожалуйста, не допусти, чтобы это случилось с тобой.

«Как уже случилось с Эстер», — хотелось мне добавить. А понял я это, лишь когда припомнил, как изменилось выражение ее глаз. Я всегда впитывал их свет, их энергию — поглядев в них, я обретал силу, уверенность, я мог идти вперед. А она смотрела на меня и чувствовала себя некрасивой, ничтожной, ибо по прошествии лет моя карьера — карьера, которой она так способствовала, — оттеснила наши отношения на задний план.

И, прежде чем снова увидеть Эстер, я должен сделать так, чтобы мое лицо стало таким же чистым, как у нее. Прежде чем найти Эстер, мне предстоит найти самого себя.

Нить Ариадны

«Я рождаюсь в маленькой деревушке, расположенной в нескольких километрах от другой, чуть побольше, где есть школа и музей одного поэта, жившего здесь давным-давно. Моему отцу под семьдесят, матери — двадцать пять. Познакомились они недавно: он приехал из России продавать ковры, встретил ее и решил все ради нее бросить. Она годилась ему в дочери, а ведет себя скорее как мать — помогает ему уснуть, потому что он мучается бессонницей с 17 лет, с тех пор как воевал против немцев под Сталинградом, где шла одна из самых долгих и кровопролитных битв Второй мировой войны. Из всего трехтысячного полка, в котором он служит, выживают трое».

Забавно, что он говорит в настоящем времени, хотя следовало бы сказать: «Я родился...» Такое впечатление, что все происходит здесь и сейчас.

«Мой отец в Сталинграде: возвращаясь из разведки, он и его лучший друг попадают под огонь. Укрываются в яме, которую оставляет разорвавшийся снаряд, — она называется «воронка», и там проводят два дня, лежа в снегу и грязи. Нечего есть, нечем согреться. Из дома неподалеку доносится русская речь, они знают, что могли бы пробраться туда, но стрельба не стихает, запах крови пропитывает воздух, днем и ночью раненые зовут на помощь. Вдруг — тишина. Товарищ отца, решив, что немцы отошли, поднимается. Отец пытается удержать его за ноги, кричит: «Ложись!», но поздно — пуля разносит ему череп.

Проходит еще двое суток. Отец лежит рядом с убитым и повторяет как заведенный: «Ложись! Ложись!» Наконец его обнаруживают, приводят в дом. Еды нет — только патроны и курево. Они жуют табачные листья. Через неделю начинают есть мясо своих мертвых окоченевших товарищей. Под пулями к ним пробиваются свои, спасают их, перевязывают раненых. И снова на передовую — Сталинград не должен пасть, на карту поставлена судьба России. Четыре месяца яростных боев, людоедство, отмороженные руки и ноги — и вот немцы наконец сдаются. Для Гитлера и Третьего рейха это — начало конца. Мой отец пешком возвращается в родную деревню, находящуюся почти в тысяче километров от Сталинграда. Тут обнаруживается, что он не может спать: каждую ночь видит своего друга, которого мог бы спасти.

Через два года кончается война. Он получает медаль, но не может устроиться на работу. Участвует в разных торжествах, однако едва ли не голодает. Его называют героем Сталинградской битвы, но при этом он перебивается случайными мелкими заработками. Кто-то предлагает ему торговать коврами. Поскольку он страдает бессонницей, то всегда передвигается по ночам, знакомится с контрабандистами, входит к ним в доверие, и наконец у него заводятся деньги.

Коммунистические власти обвиняют его в связях с преступниками и, несмотря на то что он — герой войны, отправляют на десять лет в Сибирь как «врага народа». На свободу он выходит почти стариком, и ковры — это единственное, в чем он разбирается. Удается наладить прежние связи, он получает от кого-то несколько штук на продажу. Но в те трудные времена ковры никого не интересуют. Он решает перебраться на новое место куда-нибудь подальше, просит по дороге милостыню и наконец оказывается в Казахстане.

Он стар и одинок, но должен зарабатывать себе на пропитание. Днем он что-то мастерит по мелочам, ночью спит мало, постоянно просыпаясь с криком «Ложись!». Как ни странно, несмотря на все, через что ему пришлось пройти, несмотря на бессонницу, скудное питание, неудачи и постоянное курение, здоровье у него железное.

В маленькой деревушке он встречает девушку. Она живет с родителями и приводит его к ним в дом — традиции гостеприимства очень сильны в том краю. Укладывают его спать, но посреди ночи он всех будит своими «Ложись!». Девушка подходит к нему и с молитвой гладит его по голове. Впервые за многие десятилетия он спит спокойно.

Наутро девушка говорит, что с детства мечтала выйти замуж за очень пожилого человека и родить от него сына. Сколько-то лет она ждала, отказывала всем, кто к ней сватался, но родители ее пребывают в сильной тревоге: им не хочется, чтобы их дочь осталась старой девой и была отвергнута общиной.

Она спрашивает, возьмет ли он ее в жены. Он удивлен — девушка годится ему во внучки — и ничего не отвечает. После захода солнца, в маленькой столовой, где его устроили на ночлег, он снова просит, чтобы она погладила ему голову. И снова спит всю ночь спокойно и крепко.

На следующий день разговор о женитьбе повторяется — теперь уже в присутствии родителей, а те, похоже, согласны на все, лишь бы только их дочь нашла себе мужа и избавила тем самым семью от позора. По деревне прошел слух, что откуда-то издалека появился старик, а на самом деле он — богатый торговец коврами, который, устав жить в достатке и покое, отправился искать приключений. Люди взбудоражены, разговоры только о щедрых подарках и огромных банковских счетах, обсуждают, как это моей матери повезло найти человека, который наконец-то сможет увезти ее из этой богом забытой глуши. Мой отец слушает все эти разговоры в ошеломлении, но понимает, что он столько лет жил один, странствовал, мыкал горе, потерял всех родных — и вот может теперь получить дом и семью. Он соглашается и не опровергает небылицы насчет своего прошлого. Играют свадьбу по мусульманскому обряду. Через два месяца моя мать понимает, что ждет ребенка. Этот ребенок — я.

Я живу с отцом до семи лет: он перестал страдать от бессонницы, работал в поле, ходил на охоту, разговаривал с соседями о своих богатствах и глядел на мою мать так, словно встреча с ней была единственной удачей, выпавшей на его долю. Я считаю, что мой отец богат, но однажды вечером, сидя у очага, он, взяв с меня слово молчать, рассказывает мне о своем прошлом и о причинах, побудивших его жениться. Говорит, что ему недолго осталось, и оказывается прав: четыре месяца спустя он умирает на руках у жены и улыбается так, словно никаких трагедий в его жизни не было вовсе. Умирает счастливым».

Михаил рассказывает свою историю весенним вечером: на удивление холодно — но, наверно, все же не так, как было тогда в Сталинграде, где температура опускалась до минус тридцати пяти... Мы сидели среди парижских бродяг, гревшихся у самодельной жаровни. Я пришел сюда после повторного телефонного звонка — пришел, чтобы выполнить то, что обещал Михаилу. Пока разговаривали, он ничего не спрашивал меня об оставленном конверте, словно знал — или «голос» ему сообщил, — что я решил следовать знакам, не торопить события, и благодаря этому освободился из-под власти *Заира*.

Когда он назначил мне встречу в одном из самых опасных предместий Парижа, я испугался. В обычное время отговорился бы занятостью или постарался бы убедить его, что лучше нам посидеть в каком-нибудь баре, где в комфорте мы сможем обсудить насущные проблемы. Разумеется, я опасался, что у него начнется очередной припадок, но теперь, зная, как надлежит действовать в подобных обстоятельствах, предпочитал это возможности быть ограбленным. Тем более что я по-прежнему носил ортопедический воротник и был лишен всякой возможности защищаться.

Но Михаил проявил настойчивость — очень важно, чтобы я встретился с нищими, ибо они — часть его жизни и жизни Эстер. В больнице я наконец уразумел, что в моей жизни что-то идет не так и надо срочно что-то менять.

Что надо для этого сделать?

Ну, в числе прочего — отправиться в злачное место, встретиться с маргиналами. Например.

Он рассказывает греческий миф о том, как Тезей вошел в лабиринт, чтобы убить чудовище. Полюбившая героя Ариадна дала ему кончик нити, с помощью которой он должен был найти выход наружу. Сидя бок о бок с этими людьми, я вдруг понимаю, что уже очень давно не испытывал ничего подобного этому, а теперь вновь ощущаю вкус неведомого, дух авантюры. Как знать — быть может, путеводная нить ждет меня именно в тех местах, куда я бы не пришел ни за что на свете, не будь я убежден — чтобы изменить жизнь, мне предстоит совершить огромное, неимоверное усилие.

Михаил продолжал свой рассказ, а я видел, что нищие слушают его внимательно: видно, не обязательно самые удачные «встречи» должны проходить в тепле и уюте фешенебельного ресторана.

«Путь до той деревни, где есть школа, занимает у меня целый час. Разглядываю женщин, идущих за водой, бескрайнюю степь, русских солдат в длинных грузовиках, заснеженные вершины гор, прячущие, как мне сказали, огромную страну под названием Китай. В деревне — музей поэта, мечеть, школа и три-четыре улицы. В школе мы узнаем, что есть идеал: мы должны бороться за победу коммунизма, за то, чтобы все люди на земле были равны. Я не верю в эту несбыточную мечту, потому что даже в этом убогом месте существует неравенство: члены компартии стоят выше остальных и, время от времени уезжая в большой город Алма-Ату, привозят оттуда невиданные лакомства, красивую одежду, подарки своим детям.

Однажды, возвращаясь из школы, я ощущаю порыв сильного ветра, вижу огни вокруг и на несколько мгновений теряю сознание. Прихожу в себя: я сижу на земле, а передо мной парит в воздухе белокурая девочка в белом платье с синим кушаком. Она улыбается и, не произнеся ни слова, исчезает.

Опрометью вбежав домой, бросаюсь к матери, отрывая ее от того, чем она занята, и рассказываю об этом происшествии. Она пугается, просит меня никому больше не говорить об этом. Объясняет — хотя можно ли объяснить такие сложные вещи десятилетнему мальчугану? — что мне всего лишь привиделось, померещилось. Я стою на своем, твержу, что видел девочку и могу описать ее во всех подробностях. Добавляю, что вовсе не испугался, а прибежал домой, потому что хотел немедля сообщить матери о том, что со мной было.

На следующий день, возвращаясь из школы, я жду появления девочки, но ее нет. Нет и завтра, и послезавтра. Так проходит целая неделя, и я уже готов поверить в правоту матери: наверное, я незаметно для себя задремал и мне все это приснилось.

Но когда я рано утром иду в школу, девочка появляется вновь — окруженная белым сиянием, она парит в воздухе. Я не упал наземь, не увидел свет. Некоторое время мы глядим друг на друга, она улыбается мне, а я — ей. Спрашиваю, как ее зовут, но ответа не получаю. В школе спрашиваю товарищей: не случалось ли кому-нибудь видеть парящую в воздухе девочку? Все смеются.

С урока меня вызывают в кабинет директора. Он объясняет мне, что я, наверно, не в своем уме, раз у меня видения. Мир — это реальность, данная нам в ощущениях, а религию придумали, чтобы обманывать людей. «А как же мечеть?» Он отвечает, что ходят в мечеть только опутанные предрассудками невежественные старики, у которых нет сил вместе со всеми строить социализм. И грозит исключить меня из школы, если подобное повторится. В испуге я прошу ничего не сообщать матери. Он обещает — но лишь в том случае, если я скажу одноклассникам, что все выдумал.

Он выполняет свое обещание, а я — свое. Мои товарищи, хоть и не придают особенного значения всему этому, все же просят отвести их туда, где я повстречал девочку. Но с того самого дня целый месяц кряду она является мне.

Иногда я перед этим впадаю в забытье, иногда этого не происходит. Мы не разговариваем, только остаемся вместе столько времени, сколько ей захочется пробыть со мной. Мать начинает беспокоиться, потому что теперь я не прихожу из школы вовремя. Однажды вечером она все же заставляет меня признаться. Я повторяю свой рассказ о девочке.

К моему удивлению, она не бранит меня, а говорит, что вместе со мной пойдет туда, где я видел девочку. Наутро просыпаемся, приходим, девочка появляется, но мать не видит ее. Мать просит спросить у нее про отца. Я не понимаю, о чем она, однако выполняю ее просьбу и тогда впервые в жизни слышу «голос». Губы девочки неподвижны, но я знаю, что она говорит со мной, сообщает, что с отцом все хорошо, он оберегает нас и вознагражден за все то, что пришлось ему испытать и перенести на земле. Расскажи матери про обогреватель, просит она. Я повторяю это слово, и мать со слезами говорит, что отец так промерз на войне, что больше всего в жизни ему хотелось иметь обогреватель. Девочка просит, чтобы в следующий раз, как придем сюда, мы привязали к ветке маленького куста, растущего здесь, ленточку.

Видения продолжаются целый год. Мать по секрету шепнула о них своим ближайшим подругам, те рассказали своим подругам, и теперь весь куст покрыт ленточками. Все держится в секрете: женщины спрашивают о судьбе своих исчезнувших близких, я слушаю «голос» и передаю послания. По большей части все благополучны, и лишь дважды девочка просит отправиться на вершину ближайшего холма и с первыми лучами восходящего солнца молча помолиться за души этих двоих. Люди рассказывают мне, что я иногда впадаю в транс, падаю наземь, произношу бессвязные слова — сам я об этом не помню. Зато знаю, когда приближается этот миг, — чувствую дуновение горячего ветра и вижу вокруг себя светящиеся точки.

Но однажды, когда я веду на встречу с девочкой очередную группу родственников, дорогу нам преграждает милиция. Женщины плачут, возмущаются, но путь перекрыт. Меня препровождают в школу, и директор сообщает мне, что я исключен за распространение религиозных предрассудков и подстрекательство к мятежу.

На обратном пути вижу — куст уничтожен, ленточки валяются на земле. Сажусь рядом, плачу, ибо эти дни были самыми счастливыми в моей жизни. И тут появляется девочка. Просит меня не огорчаться — все, включая и уничтожение куста, было, так сказать, запрограммировано. С этой минуты и до конца дней моих она будет сопровождать меня и подсказывать, как следует поступать».

— $\mathcal{U}$ она так и не сказала, как ее зовут? — спрашивает один из нищих.

— Нет. Но это и не важно: я знаю, когда она говорит со мной.

— А сейчас мы можем узнать что-нибудь о наших покойниках?

— Нет. Такое было возможно лишь в то время. Теперь у меня иное предназначение. Рассказывать дальше?

— Обязательно, — говорю я. — Но сначала хочу сказать вот что: на юго-востоке Франции есть городок под названием Лурд. Много лет назад пастушка видела там девочку. Это похоже на ваши видения.

— Неправда, — возражает старый одноногий нищий. — Пастушку звали Бернадетта, а видела она Пречистую Деву.

— Поскольку я написал целую книгу о явлениях, то мне в свое время пришлось всесторонне изучить вопрос. Я прочел все, что было опубликовано по этому поводу в конце XIX века, получил доступ к показаниям Бернадетты, а ее допрашивали представители и полиции, и церкви, и науки. Ни разу не сказала она, что видела женщину, но настойчиво повторяла, что это была девочка. До самой своей смерти она твердила одно и то же, и никто не поймал ее на противоречиях, и воздвигнутое в пещере изваяние возмущало ее до глубины души: Бернадетта уверяла, что статуя не имеет ни малейшего сходства с видением. Ей предстала девочка, а не взрослая женщина. Но Церковь все равно присвоила себе эту историю, это место, эти видения, превратив девочку в Богоматерь. И правда постепенно забылась, а ложь, благодаря многократному повторению, в конце концов убедила весь мир. Разница лишь в том, что та девочка, которая явилась Бернадетте, — та упорно настаивала, что это была именно девочка, — сообщила ей свое имя.

— И какое же? — осведомился Михаил.

— «Я — Непорочное Зачатие». Согласитесь, это не то что Беатрис, Мария, Изабелла. Она называет себя неким событием или эпизодом, который можно передать иными словами: «Рождению моего ребенка не предшествовало соитие». Рассказывайте, Михаил.

— Но сначала я хочу спросить... — говорит нищий примерно моего возраста. — Вы сказали, что сочинили книгу... Как называется?

— У меня много книг.

И я произношу заглавие книги, в которой упоминается история Бернадетты и ее видения.

— Так вы, значит, муж той журналистки?..

— Муж Эстер? — оборванная нищенка в зеленой шляпе и красном пальто смотрит на меня выпученными глазами.

Не знаю, что на это сказать.

— Почему же она больше не приходит сюда?! Она жива, надеюсь? Сколько раз я ей говорил, чтобы не совалась в опасные места! Поглядите-ка, что она мне дала!

И он протягивает мне выпачканный кровью лоскут — обрывок военной формы, которую носил убитый солдат.

— Жива, — отвечаю я. — Однако меня удивляло, что она приходила сюда.

— Почему? Потому что мы — другие?

— Вы не поняли. Я не осуждаю вас за то, что вы такие, как вы есть. Я был удивлен и обрадован, когда узнал об этом.

Но водка, которую мы пьем, чтобы согреться, уже произвела свое действие на нас.

— Вы насмехаетесь над нами, — произносит коренастый человек с длинными волосами и многодневной щетиной. — Если считаете, что попали в неподобающее общество, убирайтесь отсюда.

Однако я тоже выпил, и это придает мне смелости.

— А кто вы такие? Почему выбрали себе такую жизнь? Вы здоровы и трудоспособны, однако предпочитаете ничего не делать.

— Здесь сидят люди, выбравшие *неучастие*, — мы не желаем иметь отношение к этому миру, который скоро разлетится на куски, и к этим людям, которые постоянно боятся что-нибудь потерять, которые притворяются, будто все хорошо, тогда как на самом деле все плохо! Очень плохо! А вы-то сами разве не нищий? Не клянчите подаяния у своего босса, не побираетесь у домовладельца?

— А вам не стыдно, что вы пустили по ветру свою жизнь?! — вмешивается нищенка в красном.

— А почему это я пустил свою жизнь по ветру? Я делаю то, что хочу.

— А чего вы хотите? — перебивает меня коренастый. — Быть на вершине? А кто сказал, что вершина лучше равнины? Вы считаете, что мы не умеем жить, так ведь? А вот ваша жена поняла, что мы пре-вос-ход-но знаем, чего хотим от жизни. Хотите, скажу? Мира! И свободного времени! И чтоб не надо было одеваться прилично — у нас здесь свои собственные понятия о моде! Мы пьем, когда хочется, и спим, где понравится! Никто из нас не предпочел рабство, и мы гордимся этим, очень гордимся, хоть вы и жалеете нас за это и считаете убогими!

Голоса становятся агрессивными, и Михаил вмешивается:

— Хотите дослушать мою историю или нам лучше немедля уйти?

— Он нас критикует! — кричит одноногий. — Пришел к нам и нас же порицает! Господь Бог какой нашелся!

Нищие ворчат, кто-то хлопает меня по плечу, я угощаю его сигаретой, снова пускаю вкруговую бутылку водки. Постепенно нищие успокаиваются, но я по-прежнему поражен тем, что с этими людьми общалась Эстер и что они знали ее — быть может, даже лучше, чем я, если им достался тряпичный лоскут, выпачканный кровью.

Михаил продолжает.

«Итак, учиться мне негде, а к лошадям, которыми гордится наш край, меня не подпускают — мал еще, — так что приходится идти в пастухи. В первую же неделю умирает овца, и разносится слух, будто у меня — черный глаз, что я — сын человека, появившегося неведомо откуда, улестившего мою мать обещаниями и оставившего нас ни с чем. Хотя коммунисты постарались внушить людям, будто религия — это всего лишь способ обмануть отчаявшихся людей несбыточными посулами, хотя все здесь воспитаны в духе материализма, то есть затвердили накрепко: невидимое глазу — это плод воображения, но древние степные традиции сохранились в неприкосновенности и передаются изустно через поколения.

После того как выкорчевали куст, я больше не могу увидеть девочку, но голос ее продолжаю слышать. Я прошу, чтобы она помогла мне пасти стадо, а она отвечает, что надо набраться терпения и выдержки, грядут трудные времена, но мне еще не исполнится двадцати двух лет, как появится из далеких стран женщина, которая откроет передо мной мир. И еще говорит, что мне предстоит выполнить некое поручение, и заключается оно в том, чтобы помочь распространить по всему свету истинную энергию любви.

Хозяин отары, наслушавшись сплетен — подумать только, их распускают, стремясь погубить меня, как раз те самые люди, которым девочка помогала весь год, — собирается идти в партийный комитет и сообщить там, что и я,

213

и моя мать — настоящие враги народа. Он меня увольняет. Но это не слишком сильно омрачает мою жизнь, потому что мать к этому времени уже поступила вышивальщицей на фабрику в самом большом городе нашего края, где никто не знает, что мы — враги народа и рабочего класса. Дирекции нужно лишь, чтобы она с утра до вечера не разгибала спины над вышиванием.

Свободного времени у меня сколько угодно, и я хожу в степь с охотниками, те тоже знают мою историю, но приписывают мне сверхъестественные способности, ибо знают: если я — рядом, обязательно встретим лисиц. Целые дни провожу в музее поэта, разглядываю его вещи, читаю его книги, слушаю, как посетители декламируют его стихи. Иногда ощущаю горячее дуновение, вижу огоньки, падаю наземь — и в такие мгновения *Голос* неизменно сообщает мне что-то вполне конкретное: будет ли засуха, падет ли скот, приедут ли торговцы. Но я никому не рассказываю об этом, кроме матери, а она с каждым днем все больше тревожится из-за меня.

И вот однажды она ведет меня на консультацию к врачу, который как раз оказался в наших краях. Внимательно ознакомившись с моей историей и сделав при этом какие-то пометки, он с помощью специального аппарата осматривает глазное дно, слушает сердце, бьет молоточком по колену, а потом ставит диагноз — эпилепсия. Болезнь не заразная, и с годами припадки будут случаться все реже.

Я-то уверен, что ничем не болен, но, чтобы успокоить мать, делаю вид, будто поверил. Директору музея, заметившему мою отчаянную тягу к знаниям, жалко меня, и он начинает давать мне уроки географии и литературы. С его помощью я научился тому, что необыкновенно пригодится мне в жизни, — говорить по-английски. Однажды *Голос* просит меня передать директору, что в скором времени он займет важный пост. Сообщив ему это, слышу лишь невеселый смех и прямой ответ: это совершенно невозможно, он — верующий мусульманин и никогда не состоял в партии.

Мне исполняется пятнадцать лет. Через два месяца после нашего разговора замечаю, что в нашем крае что-то изменилось — чиновники, прежде такие высокомерные, теперь становятся очень любезными и спрашивают, не хочу ли я вернуться в школу. Огромные грузовики, набитые русскими солдатами, движутся в сторону границы. В один прекрасный день, когда я что-то учу за конторкой, принадлежавшей когда-то поэту, вбегает директор музея сам не свой от изумления и тревоги: произошло то, чего произойти не могло, казалось бы, никогда — пал коммунистический режим, причем, что называется, — в одночасье. Бывшие советские республики становятся независимыми государствами, из Алма-Аты приходят вести о формировании нового правительства, а его, директора, назначают губернатором провинции.

Но вместо того, чтобы расцеловать меня на радостях, он спрашивает, как же это я загодя узнал об этом — неужели что-то слышал? Может быть, я был завербован советской спецслужбой следить за ним? Или — и это самое скверное — я вступил в сделку с дьяволом?!

Я отвечаю, что ему известна моя история — явления девочки, *Голос*, припадки, позволяющие мне слушать неведомое другим. Он отвечает, что все это всего лишь болезнь: на свете есть один пророк — Магомет, и все, что он предсказал, уже сбылось. Однако, продолжает директор, сатана по-прежнему пребывает в этом мире, используя самые хитроумные способы — в том числе и способность провидеть будущее — для того, чтобы улавливать в свои сети слабодушных и сбивать людей с пути истинной веры. Директор помогал мне, ибо ислам велит проявлять милосердие, но теперь он в этом глубоко раскаивается: я — либо тайный агент спецслужбы, либо посланник сатаны.

Он прогоняет меня в тот же день.

Жить и раньше было нелегко, а теперь стало и вовсе невыносимо. Ткацкая фабрика, где работала моя мать, прежде принадлежала государству, ныне перешла в частные руки — и новые владельцы задумали выпускать другую продукцию, изменили структуру, а в результате мать была уволена. Через два месяца нам уже нечего есть, и остается только одно — покинуть деревню, где прошла вся моя жизнь, и идти искать работу.

Дед с бабкой уходить отказываются, по ним, лучше умереть от голода, чем покинуть отчий край. А мы с матерью отправляемся в Алма-Ату. Так я впервые попадаю в большой город, и меня потрясают машины, исполинские здания, светящиеся вывески, самодвижущиеся лестницы и больше всего — лифты. Мать устраивается в магазин, меня берут в подручные механика на бензоколонке. Большую часть заработанного мы отсылаем старикам в деревню, однако оставшегося хватает на еду и невиданные прежде развлечения — кино, аттракционы, футбольные матчи.

После переезда в город припадки прекращаются, но меня больше не посещают видения и я не слышу голос девочки. Ну и хорошо, думаю я, не страдая от отсутствия невидимого друга, сопровождавшего меня с восьми лет. Я заворожен Алма-Атой и занят зарабатыванием денег: понимаю, что, если буду вести себя умно, смогу добиться многого. Но вот в один воскресный вечер, сидя у единственного окна нашей маленькой квартиры, глядя на незаасфальтированный тупик и вспоминая, как вчера, загоняя машину в гараж, я слегка помял ее, я места себе не нахожу от тревоги — боюсь, что уволят, — так боюсь, что кусок в горло не лезет.

И вдруг снова ощущаю горячее дуновение, вижу огни. Как потом рассказывала мать, я упал, заговорил на непонятном наречии, и это состояние длилось дольше, чем обычно. Я же помню, что именно в этот миг *Голос* напомнил мне о том, что у меня есть поручение. Очнувшись, чувствую присутствие и, хоть ничего не вижу, могу разговаривать с девочкой.

Но меня это больше не интересует: покинув деревню, я покинул и свой прежний мир. И все же спрашиваю, в чем же оно состоит, это поручение? И *Голос* отвечает, что дается оно всем представителям рода человеческого — напитать мир энергией всеобъемлющей любви. Я задаю вопрос о том единственном, что занимает меня в тот момент, — сильно ли мне попадет за помятую машину? *Голос* говорит: «Не волнуйся, скажи правду, владелец бензоколонки сумеет тебя понять».

Там я проработал пять лет. Завожу друзей, знакомлюсь с девушками, открываю для себя секс, участвую в уличных драках, то есть живу самой обычной и нормальной жизнью. Случаются припадки, поначалу мои друзья пугаются, но после того как я объясняю, что это — проявление «высшей силы», они начинают относиться к этому с уважением. Просят помочь, советуются насчет любовных неурядиц и проблем с родителями, однако я уже не спрашиваю *Голос* — печальный опыт учит меня, что за нашу помощь отплачивают нам самой черной неблагодарностью.

Если друзья особенно настойчивы, на ходу выдумываю, что вхожу в некое «тайное общество», — в то время, после того как религию десятилетиями подавляли и искореняли, всякая мистика и эзотерика входят в моду. Появляются книги о пресловутой «высшей силе», из Индии и Китая приезжают гуру и наставники, читаются лекции о самоусовершенствовании. Послушав одну-две, я убеждаюсь, что ничему не могу научиться, ибо по-настоящему доверяю только *Голосу*. Но беда в том, что я слишком занят, чтобы осмыслить то, что он говорит.

Однажды к бензоколонке подъезжает маленький внедорожник, и сидящая за рулем женщина просит меня налить полный бак. Она говорит по-русски с сильным акцентом, с трудом подбирая слова, а я отвечаю ей по-английски. Обрадовавшись, женщина спрашивает, где бы она могла найти переводчика, поскольку направляется в провинцию, на периферию.

В тот миг, когда она произносит эти слова, девочка переполняет своим присутствием все вокруг меня, и я понимаю, что произошла встреча, которую я ждал всю жизнь. Это — выход из тупика, и упустить такой шанс нельзя. Я говорю, что готов взяться за эту работу. Женщина отвечает, что ей нужен кто-нибудь постарше и поопытней, тем более что я ведь работаю на бензоколонке. Отвечаю, что не собьюсь с дороги ни в степи, ни в горах, а эта работа — временная. Умоляю дать мне возможность попробовать, и не без внутренней борьбы она назначает встречу в лучшей столичной гостинице.

Мы встречаемся в одном из салонов; она проверяет, насколько я знаю английский, задает вопросы по географии Центральной Азии, расспрашивает, кто я и откуда. Держится настороженно, уклончиво говорит о том, что намерена делать и куда именно собирается ехать. Я стараюсь произвести на нее благоприятное впечатление, но вижу — это не очень-то мне удается.

И я с удивлением замечаю, что влюблен в женщину, которую впервые увидел несколько часов назад. Уняв смятение, мысленно обращаюсь к *Голосу* — прошу помощи у невидимой девочки, умоляю подсказать, как мне себя вести, обещаю выполнить ее поручение, если только получу эту работу: не ее ли голос сказал мне однажды, что какая-то женщина увезет меня далеко отсюда, не ее ли незримое присутствие заполнило все пространство, когда путешественница попросила заправить машину? Мне нужен положительный ответ.

Но после такого допроса с пристрастием я вижу, что, кажется, начинаю завоевывать ее доверие: она предупреждает меня, что намерена преступить закон. Объясняет, что она — журналистка и хочет написать репортаж об американских базах, строящихся в соседней стране, на рубежах которой вот-вот начнется война. Власти отказали ей в выдаче визы, и потому нам придется перейти границу пешком, тайными тропами: ее связники дали ей карту с нанесенным маршрутом, но показать ее она сможет, лишь когда мы будем далеко от Алма-Аты. Если я не передумал, она будет ждать меня здесь в отеле через двое суток, в 11 часов утра. Она ничего мне не обещает, кроме недели оплаченной работы, ибо не знает, что на бензоколонке я зарабатываю достаточно, чтобы содержать мать и стариков, а хозяин хорошо ко мне относится, несмотря на то что раза три-четыре у него на глазах я начинал биться в судорогах — происходили «припадки эпилепсии», как называет он те моменты, когда я вхожу в контакт с неведомым миром.

Прощаясь со мной, женщина называет свое имя — Эстер — и предупреждает, что, если я сообщу в полицию, ее арестуют и вышлют из страны. Еще она говорит, что бывают в жизни такие моменты, когда следует слепо доверять своей интуиции, именно так она и поступает сейчас. Прошу ее не беспокоиться и едва сдерживаюсь, чтобы не рассказать ей про голос и присутствие. Вернувшись домой, сообщаю матери, что устроился на новое место, работать теперь буду переводчиком, а зарабатывать — больше, но скоро мне придется на некоторое время уехать. У матери все это не вызывает тревоги; все вокруг меня идет так, словно было уже давно запланировано, а мы все только ждали назначенного часа.

Ночью я почти не сплю, а наутро прихожу на автозаправку гораздо раньше обычного. Извиняюсь, объясняю, что нашел новую работу. Хозяин сначала отговаривает меня — рано или поздно моя болезнь обнаружится, синица в руках много лучше журавля в небе, — но в точности, как моя мать, вскоре соглашается, и мне кажется, что это *Голос* воздействует на волю каждого из тех, с кем мне приходится говорить в тот день, облегчает мне жизнь, помогает сделать первый шаг.

Когда мы встречаемся с Эстер в отеле, я объясняю ей: если попадемся, вас всего лишь вышлют из страны, а меня посадят в тюрьму — и надолго. Я рискую сильней, и, стало быть, вы должны мне доверять. Она вроде бы понимает, о чем я. Выходим, и спустя двое суток встречаем тех, кто ждет ее по ту сторону границы. Эстер идет с ними и вскоре возвращается разочарованная и раздраженная. Война вот-вот начнется, все дороги перекрыты, и, если идти дальше, ее схватят как шпионку.

Пускаемся в обратный путь. Эстер, прежде такая уверенная в себе, теперь печальна и растерянна. Чтобы развлечь ее, читаю стихи того самого поэта, что жил когда-то неподалеку от моей деревни, а сам думаю, что через сорок восемь часов все будет кончено. Но я обязан доверять *Голосу*, обязан сделать все для того, чтобы эта женщина не исчезла из моей жизни так же внезапно, как появилась в ней. Быть может, надо показать, что она важна для меня, что я всегда ждал ее.

И в ту же ночь, когда мы расстелили наши спальные мешки у скал, я пытаюсь взять Эстер за руку. Она мягко

221

отводит ее и говорит: «Я замужем». Сознаю, что поступил неправильно и необдуманно, и теперь, когда мне уже больше нечего терять, я рассказываю о своих детских видениях, о поручении распространять по всему свету энергию любви, о враче, поставившем мне диагноз: эпилепсия.

К моему удивлению, она слушает очень внимательно. Рассказывает немного и о своей жизни — говорит, что любит своего мужа и что он тоже ее любит, но с течением времени пропало из их отношений что-то очень важное, и потому она предпочла уехать на край света, нежели смотреть, как постепенно гибнет ее супружество. У нее есть все, но она несчастна, хоть и могла бы до конца дней своих притворяться, будто этого несчастья нет и в помине. И она до ужаса боялась, что на нее накатит депрессия, из которой ей уже не выбраться.

И потому решила все бросить и отправиться на поиски приключений, чтобы некогда было думать о слабеющей, о вянущей любви. Но чем больше искала, тем больше теряла и тем безнадежней становилось ее одиночество. Ей кажется, что она окончательно сбилась с пути, а неудача на границе показала: она ошибалась и лучше бы, наверное, вернуться к прежнему повседневью.

Я предлагаю свести ее со знакомыми контрабандистами — те могут показать нам тайные, неохраняемые тропы, но Эстер утратила энергию и желание идти вперед.

В этот миг *Голос* велит мне посвятить ее Земле. Не отдавая себе отчета в своих действиях, я поднимаюсь, открываю рюкзак, достаю маленькую бутылочку масла, припасенного для готовки, и, смочив в нем пальцы, дотрагиваюсь до лба Эстер. Молча молюсь, а потом прошу ее продолжать поиски, ибо это важно для всех нас. *Голос* сказал мне, а я повторил ей — преображение одного человека равносильно преображению всего рода человеческого. Эстер обнимает меня, я чувствую, что *Земля дает ей свое благословение*, и несколько часов кряду мы проводим так.

Потом я спрашиваю, верит ли она тому, что я рассказал ей про *Голос*. «И верю, и не верю», — отвечает она. Верит, что каждый из нас наделен могуществом, которым никогда не пользуется, а с другой стороны — думает, что я обретаю это могущество благодаря моим эпилептическим припадкам. Но мы сможем это проверить — она задумала взять интервью у одного кочевника, ныне осевшего на севере страны: по общему мнению, он обладает магическими дарованиями. Если я хочу сопровождать ее — прекрасно. Она называет его имя, и тут выясняется, что я знаком с внуком этого кочевника. Вероятно, это знакомство упростит дело.

Мы пересекаем страну, останавливаясь лишь для того, чтобы заправиться горючим и купить провизии. Путь наш лежит к маленькому городку на берегу искусственного водоема, вырытого еще при советской власти. Я отправляюсь в дом кочевника, и, хоть и говорю его помощникам, что знаком с его внуком, нам приходится провести в ожидании много часов — толпа людей стоит в очереди, чтобы получить совет от этого человека, считающегося святым.

Наконец нас проводят к нему. Переводя интервью и потом перечитывая его текст, я узнаю многое из того, что всегда интересовало меня.

Эстер спрашивает, отчего людям присуща печаль.

— Это очень просто, — отвечает старец. — Они скованы своей судьбой. Все уверены, будто цель жизни — следовать некоему плану. Никто не спрашивает, его ли этот план или придуман был для другого человека. Люди копят опыт, впечатления, идеи, воспоминания других, и это бремя становится непосильно для них. И они забывают о собственных мечтах.

— Многие говорят мне: «Тебе хорошо, ты знаешь, чего хочешь от жизни, а вот я не знаю, что хочу сделать».

— Да, разумеется, знают. Ведь так часто вам приходилось слышать: «Я не совершил то, что желал, ибо такова действительность». Если говорят, что не совершили то, чего желали, значит, все-таки помнят, чего желали. Что же касается действительности, то это всего лишь история, которую люди рассказывают о мире и о том, как надлежит вести себя в нем.

— А сколькие твердят еще кое-что похуже: «Я доволен, ибо приношу свою жизнь в жертву тем, кого люблю».

— И вы считаете, что люди, которые нас любят, хотят, чтобы вы страдали из-за них? Вы согласны с тем, что любовь есть источник страдания?

— Честно говоря, да.

— Но так не должно быть.

— Если я забуду историю, которую мне рассказывают, то забуду и очень важные вещи из того, чему научила меня жизнь. Зачем прилагала я такие усилия для того, чтобы столькому научиться? Зачем так старалась обрести опыт, который позволил бы мне совладать с моими срывами, сделать карьеру, ужиться с мужем?

— Накопленное познание хорошо для стряпни, для умения тратить не больше, чем получаешь, для того, чтобы тепло одеваться зимой, не выходить за рамки, знать маршруты автобуса и трамвая. Неужели вы полагаете, что любовный опыт научил вас любви?

— Я научилась знать, чего желаю.

— Я не о том спрашиваю. Неужели опыт любви к другим мужчинам научил вас больше и лучше любить нынешнего мужа?

— Наоборот. Чтобы полностью, беззаветно предаваться ему, я должна была позабыть раны, нанесенные мне другими мужчинами. Вы об этом?

— Для того чтобы истинная Энергия Любви могла пронизать вашу душу, душа должна быть чиста, как будто вы только что родились на свет. Почему люди несчастливы? Потому что хотят поработить эту энергию, что совершенно невозможно. А позабыть свое прошлое — значит очистить этот канал, сделать так, чтобы каждый день энергия проявлялась так, как ей хочется. Надо подчиниться ей, стать ее ведомым.

— Возвышенно, да неосуществимо. Эту энергию сковывает слишком многое — обязательства и обязанности, дети, положение в обществе...

— ...а по прошествии некоторого времени — еще и отчаяние, страх, одиночество, попытка контролировать неконтролируемое. Свод заповедей, именуемый *Тенгри*, учит: чтобы жить полной жизнью, надо находиться в постоянном движении, и только тогда один день будет непохож на другой. Когда мы, кочевники, проходили через города, то думали: «Сколь несчастны живущие на одном месте: для них все одинаково». Очень может быть, что горожане, глядя на нас, думали: «Сколь несчастны те, кто не может жить на одном месте». У кочевников прошлого нет, а есть только настоящее, и потому они были счастливы — пока коммунистические власти не заставили нас стать оседлыми, согнав в колхозы. С той поры мы начали верить в ту историю, которую общество считает верной. И утратили свою силу.

— В наши дни человек не может кочевать всю жизнь.

— Физически — нет, не может. А в смысле духовном — может. Может идти все дальше, уйти от личной истории, от того, какими нас принудили быть.

— А что надо сделать, чтобы отрешиться от этой истории, которую нам внушают?

— Несколько раз рассказать ее вслух, в полный голос, в мельчайших подробностях. И в ходе этого рассказа мы отрешимся от нас прежних и — сами увидите, если решитесь попробовать, — освободим место для нового неведомого мира. Повторяйте эту историю как можно чаще, до тех пор, пока она не утратит свою важность в ваших глазах.

— И все?

— Нет, еще не все. Чтобы не возникало чувство пустоты, освободившееся место надо без промедления заполнить чем-нибудь — пусть хоть на время.

— Но чем?

— Иными историями, чужим опытом, которым мы не решились или побоялись воспользоваться. Так мы изменимся. Так вырастим любовь. И сами вырастем с нею.

— Но ведь мы можем потерять и что-то важное?

— Не бойтесь, не потеряете. Важное останется и пребудет — а уйдет то, что лишь казалось важным, а на самом деле бесполезно. Как, например, ложное представление о том, что можно управлять Энергией Любви.

Тут старец говорит, что наше время истекло — он должен принять других посетителей. Он остается глух к моим просьбам и уговорам, но предлагает Эстер прийти еще раз.

Эстер проводит в Алма-Ате чуть больше недели и обещает вернуться. За это время я не раз рассказывал ей о себе, а она мне — о себе. Мы понимаем, что старик был прав: что-то выходит из нас, мы обрели некую легкость, хоть и не можем утверждать, будто стали счастливей.

Однако мы помним совет старика: как можно быстрее заполнить образовавшуюся пустоту. Перед отъездом Эстер спрашивает, не хочу ли я побывать во Франции — с тем, чтобы мы могли продолжить процесс забывания. Ей-то не с кем разделить его — с мужем она говорить об этом не может, сослуживцам она не доверяет, а потому нуждается в человеке со стороны, издалека, который бы до определенного момента не имел отношения к ее судьбе.

Я соглашаюсь и только в этот миг упоминаю о предсказании. Еще говорю, что не знаю французского, а опыт мой сводится к тому, что я пас овец и работал на бензоколонке.

Уже в аэропорту она просит меня пройти ускоренный и интенсивный курс французского. Спрашиваю, почему она приглашает меня. Она повторяет, что боится пустоты, которая образуется в душе после того, как забудется прежнее, и еще — что прошлое обрушится на нее с новой силой, и тогда она уже не сможет освободиться от него. Просит не беспокоиться о билете и визе — она сама обо всем позаботится. Прежде чем пройти паспортный контроль, она оборачивается ко мне с улыбкой и говорит, что ждала меня, хоть и не знала этого, а эти дни были самыми счастливыми в ее жизни за последние три года.

Теперь я работаю по ночам — охранником в стриптиз-клубе, — а днем усердно учу французский. Как ни странно, припадки теперь делаются реже, но и *присутствие* покидает меня. Рассказываю матери, что меня пригласили в Париж, а она смеется над моей наивностью и говорит, что эта женщина никогда больше не даст о себе знать.

Проходит год, и Эстер появляется в Алма-Ате: ожидаемая война уже началась, кто-то уже опубликовал репортаж о секретных военных базах американцев, но интервью со стариком имело большой успех, а теперь редакция заказывает ей большой репортаж об исчезновении кочевников. «Кроме того, — добавляет она, — я давно уже никому ничего не рассказываю и чувствую, что вновь впадаю в депрессию».

Я помогаю ей связаться с последними кочующими по стране племенами, сохраняющими традицию *Тенгри*, и с местными колдунами. Теперь я уже бегло говорю по-французски, а за ужином Эстер передает мне анкеты из консульства — их надо заполнить. Виза получена, билет куплен, и я лечу в Париж. И она, и я замечаем, что по мере того, как освобождались наши головы от груза прожитого и былого, открывалось новое пространство, осеняла нас таинственная радость, обострялась интуиция, прибывало отваги — мы не боялись рисковать, мы совершали поступки верные или ошибочные, однако совершали. Мы живем наполненно и осмысленно.

Оказавшись в Париже, спрашиваю, где же я буду работать, но у Эстер, оказывается, уже есть на этот счет свои планы. Она договорилась с хозяином одного бара о том, что раз в неделю я буду выступать там, и объяснила, что в моей стране существует такое вот необычное представление, на котором люди рассказывают о себе и освобождают свои головы.

Поначалу мне приходится трудно — немногочисленные посетители не хотят участвовать в игре, но на помощь приходят те, кто больше выпил. Обо мне начинают говорить в квартале. «Приходи, расскажи свою прежнюю историю — и обрети новую» — гласит написанный от руки плакат в витрине, и падкие до новизны парижане заполняют ресторанчик.

Однажды вечером я испытываю новое ощущение: на импровизированной сцене — уже не я, но *присутствие*. И вместо того, чтобы рассказывать легенды моей родины, а потом слушать истории посетителей, я лишь передаю то, что говорит мне *Голос*. И в конце один из посетителей начинает плакать и делиться сокровенными подробностями своей супружеской жизни с окружающими его незнакомыми людьми.

Нечто подобное происходит и через неделю: *Голос* говорит за меня, просит, чтобы зрители рассказывали теперь только о любви отвергнутой и несчастной, о *нелюбви* — и энергия, пронизывающая атмосферу, меняется так резко, что французы, обычно такие сдержанные, публично обсуждают свою частную жизнь. К этому времени я уже почти научился контролировать свои припадки: я вижу свет, я чувствую дуновение, но стою на сцене, я впадаю в транс и теряю сознание, но никто этого не замечает. Лишь в моменты сильного душевного напряжения у меня начинаются «приступы эпилепсии».

Со временем ко мне присоединяются другие: трое молодых людей моего возраста, которые занимаются исключительно тем, что странствуют по свету, — этакие западные кочевники; муж и жена — музыканты из Казахстана, прослышавшие про успех своего соотечественника и попросившие меня взять их в мое представление, поскольку никакой иной работы у них нет. Мы включили ударные инструменты. Бар не может вместить всех желающих, и мы снимаем ресторан — тот самый, где мы выступаем сейчас. Но и этот зал становится тесноват: дело в том, что люди, рассказывая свои истории, раскрепощаются, становятся раскованней и смелей. Они танцуют, соприкасаясь с энергией, печаль покидает их, они обретают вкус к приключению, и любовь, которой в теории угрожают подобные перемены, делается прочней и крепче. Они рекомендуют нас своим друзьям, а те — своим.

Эстер по-прежнему много ездит, собирая материал для своих статей, но, бывая в Париже, непременно приходит к нам. Однажды она говорит мне, что в ресторан приходят только те, у кого есть деньги, а нам надо работать с молодыми. А где они? — спрашиваю я. Ходят, бродят, одеваются как нищие или как персонажи научно-фантастических фильмов.

Еще она говорит, что личной истории нет у бродяг — так почему бы нам не поучиться у них? Так я встретился с вами.

Все это составляет суть моей жизни. Вы никогда не спрашивали, кто я, чем занимаюсь, потому что вас это не интересовало. Но сегодня среди нас оказался знаменитый писатель, и я решил рассказать вам об этом».

— *Н*о ведь ты говоришь о своем прошлом, — замечает нищенка в шляпке, никак не подходящей к ее жакету. — Хотя старик-кочевник...

— Что такое «кочевник»? — перебивает ее кто-то.

— Это — нечто вроде нас с тобой, — гордясь тем, что ей известно значение этого слова, отвечает нищенка. — Свободный человек, который довольствуется лишь тем, что можно унести на себе.

— Не совсем так, — вмешиваюсь я. — Они — не бедняки.

— Да что ты знаешь о бедности?! — рослый человек, на которого подействовала новая порция водки, злобно смотрит мне прямо в глаза. — Ты полагаешь, что бедность — это когда нет денег?! Ты считаешь нас убогими и отверженными потому лишь, что мы просим милостыню у всяких там богатых писателей, у супругов, замученных чувством вины, у туристов, которые жалуются на то, какая в Париже грязь, у юных идеалистов, уверенных, что могут спасти мир?! Это ты нищий — потому что не распоряжаешься своим временем, не имеешь права делать что хочешь и обязан следовать правилам и нормам, которые не ты придумал и которые тебе непонятны.

Снова Михаил прерывает его.

— Так о чем ты хотела спросить? — обращается он к нищенке.

233

— Почему ты рассказал свою историю, если старик велел позабыть ее?

— Теперь эта история уже не моя — каждый раз, как я говорю о прошлом, я чувствую, что все это стало бесконечно далеким для меня. В настоящем остаются — *Голос, присутствие*, необходимость исполнять поручение. Я не страдаю по поводу тех трудностей, что пережил когда-то, ибо они помогли мне стать таким, каков я ныне. Я чувствую себя, как должен чувствовать себя воин, которого много лет обучали боевому искусству: он не помнит в мелочах все, чему научился, но сумеет в нужный момент нанести удар.

— А почему ты с этой журналисткой приходил к нам?

— Чтобы подпитываться. Как сказал старик-кочевник, мир, который мы знаем сегодня, — это всего лишь рассказанная нам история, но едва ли она правдива. Есть и другая история — о дарованиях, о могуществе, об умении проникнуть далеко за пределы известного нам. Хотя я жил с *присутствием* начиная с раннего детства и на каком-то этапе даже получил возможность видеть его, Эстер показала мне, что я не один. Она познакомила меня с людьми, наделенными особыми свойствами и дарованиями: один мог силой мысли двигать столовые приборы, другой производил хирургические операции заржавленными инструментами и без наркоза, причем пациент немедленно после этого вставал и уходил на своих ногах. Я еще только совершенствую и развиваю свой неведомый дар, но мне нужны союзники, люди без прошлого — такие, как вы.

Теперь уже мне захотелось рассказать свою историю этим незнакомым людям, начать избавляться от своего прошлого, но было уже совсем поздно, а вставать наутро надо было рано — доктор обещал снять ортопедический воротник.

Я спросил Михаила, не подвезти ли его, но он отказался, заявив, что хочет пройтись — сегодня он особенно скучает по Эстер. Мы оставили бродяг и двинулись по проспекту туда, где можно было взять такси.

— Мне кажется, та нищенка была права, — заметил я. — Если вы рассказываете историю, то, значит, не освобождаетесь от нее.

— Я — свободен. Но вы должны понимать — и в этом-то весь секрет, — что некоторые истории обрываются на середине. Они никуда не уходят, а не завершив предыдущую главу, мы не можем перейти к следующей.

Я вспомнил, что прочел в Интернете текст, приписываемый мне (хотя я не имею к нему никакого отношения):

«...и потому так важно, чтобы кое-что шло своим чередом. Надо *отпускать*. Освобождаться. Люди должны понять — никто не играет краплеными картами: иногда мы выигрываем, иногда остаемся в проигрыше. Не следует ждать, что тебе вернут его, что оценят твои усилия, что признают твой талант, что поймут твою любовь. Завершай цикл. Не из гордыни, не по неспособности, а просто потому, что это больше не вмещается в твою жизнь. Закрой дверь, смени пластинку, прибери дом, выбей пыль. Перестань быть таким, как был, стань таким, каков ты сейчас».

Но лучше согласиться с тем, что говорит Михаил.

— А что такое «прерванные истории»?

— Эстер здесь нет. В какой-то определенный момент я не смог продолжить процесс того, как она освобождается от несчастья и возвращает себе радость бытия. Почему? Потому что ее история, как и история миллионов других людей, связана с Энергией Любви. Она не может развиваться одна: либо перестанет любить, либо надеется, что любимый придет к ней. В несчастливых семьях происходит так: если один из супругов остановился, другой вынужден сделать то же самое. И, покуда он или она ждет, появляются возлюбленные, благотворительность, избыток внимания к детям, работа на износ и прочее. Куда проще было откровенно поговорить о том, что происходит с их браком, настоять на своем, крикнуть: «Пойдем вперед! Ведь мы умираем от тоски, от забот, от страха!»

— Не вы ли только что мне сказали, что Эстер не смогла продолжить процесс освобождения от грусти — причем не смогла из-за меня?!

— Я этого не говорил, ибо не верю, что, каковы бы ни были обстоятельства, один человек может обвинить другого. Я сказал, что перед ней стоял выбор: разлюбить вас или сделать так, чтобы вы пошли ей навстречу.

— Именно это она и делает.

— Знаю. Но если дело зависит от меня, мы пойдем ей навстречу не раньше, чем позволит *Голос*.

— Ну, вот и все: ортопедический воротник ушел из вашей жизни и, надеюсь, навсегда. Пожалуйста, постарайтесь на первых порах особенно не усердствовать — мышцы должны привыкнуть. Кстати, как там девушка-пророчица?

— Какая девушка? Какая пророчица?

— Разве не вы еще в госпитале рассказали, что кто-то слышал голос, предсказавший — что-то должно случиться?

— Это не девушка. А не вы ли обещали узнать поподробней насчет эпилепсии?

— Я связался со специалистом, спросил, встречались ли ему подобные случаи. Его ответ меня несколько удивил, но позвольте вам напомнить, что и у медицины есть свои тайны. Вы не забыли ту историю с мальчиком, который вышел из дому с пятью яблоками, а вернулся с двумя?

— Помню-помню: он мог их потерять, подарить, решить, что они слишком дорого стоят... И так далее. Не беспокойтесь, я знаю, что всеобъемлющего ответа не существует. А скажите-ка мне, Жанна д'Арк страдала эпилепсией?

— Психиатр упомянул ее в нашем разговоре. Она стала слышать голоса в возрасте тринадцати лет. На допросах она упомянула и о том, что видела свет, огни — а это симптом эпилепсии. Невропатолог Лидия Бейн считает, что экстатические состояния девы-воительницы вызывались тем, что мы называем «музыкогенной эпилепсией», а в случае с

Жанной — звоном колоколов. У этого вашего знакомого случались припадки в вашем присутствии?

— Случались.

— Музыка в это время звучала?

— Не помню. Но если даже и звучала, то звон посуды и громкие голоса все заглушали.

— Он был напряжен?

— Очень.

— Вот и еще одна причина. Дело это древнее, чем кажется: еще в Месопотамии находились предельно точные упоминания о так называемой «падучей болезни», сопровождающейся судорогами. Наши предки полагали, что их производят демоны, вселяющиеся в тело больного. Лишь много позже Гиппократ установил связь между судорогами и нарушениями мозговой деятельности. Тем не менее и в наши дни к людям, страдающим эпилепсией, относятся с предубеждением.

— Немудрено — я и сам испугался, став свидетелем такого припадка.

— Когда вы сказали мне о пророчествах, я попросил моего друга сосредоточиться именно на этом. И вот что он мне сказал: ученые сошлись во мнении насчет того, что, хотя эпилепсией страдали многие известные люди, эта болезнь никого не одаривает сверхъестественными способностями. И тем не менее знаменитых эпилептиков перед началом и во время припадка окружала некая «мистическая аура»...

— И кто же из великих людей страдал эпилепсией?

— Наполеон, Александр Македонский, Данте. Он назвал бы и других, но ведь меня больше всего интересовал дар ясновидения этого вашего юноши. Как его, кстати, зовут?

— Его имя вам ничего не скажет. Уверен, что вас ждут другие пациенты, а потому не будем отвлекаться. Продолжайте, пожалуйста.

— Ученые, изучавшие тексты Священного Писания, уверены, что эпилептиком был апостол Павел. Они основываются на том, что на пути в Дамаск он увидел рядом с собой ослепительный свет такой силы, что упал наземь, ослеп и несколько дней не мог пить и есть. В медицинской литературе это считается «поражением височной доли мозга».

— Церковь, вероятно, с этим не согласна?

— Я и сам с этим не согласен, но так сказано в медицинской литературе. Существуют также эпилептики, у которых развивается так называемая «аутодеструкция». Это — случай Ван Гога, который описывал свои судорожные припадки как «внутренние бури». В больнице Сен-Реми, где он лежал, один из санитаров был свидетелем такого припадка.

— Но Ван Гог сумел через свои картины превратить страсть к саморазрушению в перевоплощение окружающего его мира.

— Есть гипотеза, что Льюис Кэрролл создал «Алису в стране чудес», чтобы описать свои болезненные состояния. Черная дыра, куда в начале книги проникает Алиса, хорошо знакома большинству эпилептиков. Путешествуя по «Стране чудес», Алиса видит летающие предметы и чувствует, что ее собственное тело как бы лишилось веса, — это еще одно точное описание ощущений во время припадка.

— Получается, что эпилептики — люди художественно одаренные?

— Вовсе нет. Когда художники обретают известность, их творчество в конце концов увязывается с болезнью. Медицинская литература пестрит упоминаниями о писателях, у которых было подозрение на эпилепсию или даже подтвержденный диагноз. Это — Мольер, Эдгар По, Флобер. У Достоевского первый приступ случился в девять лет; он писал, что эти состояния иногда вносят в его душу величайшее умиротворение, а иногда вызывают тяжелую подавленность. Ради бога, не относите это к себе — не считайте, что после того, как попали под мотоцикл, у вас тоже может развиться эпилепсия. Науке такие случаи пока не известны.

— Я ведь сказал, что речь не обо мне.

— В самом ли деле этот юноша существует или вы напридумывали все это, потому что решили, что в тот миг, когда вы сошли с тротуара на мостовую, то лишились чувств?

— Все наоборот — я терпеть не могу искать у себя симптомы. Каждый раз, как мне попадается медицинский справочник, я начинаю чувствовать признаки всех описанных там болезней.

— Вот что я хочу сказать вам, только, пожалуйста, не истолкуйте мои слова превратно: по моему мнению, ваш несчастный случай пошел вам на пользу — вы стали гораздо спокойней, не похожи на одержимого. Ну, разумеется, близость смерти помогает жить лучше. Так сказала ваша жена, когда отдала мне выпачканный в крови лоскуток ткани — я с ним не расстаюсь. Хотя я ведь врач и ежедневно нахожусь рядом со смертью.

— Она не объяснила, зачем дает вам этот лоскуток?

— Она нашла хорошие слова, чтобы описать то, что я делаю по профессиональной необходимости. Сказала, что я способен сочетать технику с интуицией, дисциплину — с любовью. Упомянула про солдата, который перед смертью попросил взять его гимнастерку, разорвать ее на кусочки и разделить их между теми, кто искренне пытается увидеть мир таким, каков он есть. Полагаю, что и у вас, написавшего эти книги, тоже имеется этот лоскуток ткани.

— Нет.

— А знаете почему?

— Знаю. А вернее, начинаю понимать.

— Я ведь не только ваш врач, но и друг, и потому позвольте дать вам совет. Если этот юноша-эпилептик утверждает, что может угадывать будущее, он ничего не смыслит в медицине.

Загреб, Хорватия.

6:30 утра.

Мы с Мари сидим перед замерзшим фонтаном: весна в этом году, как видно, решила вовсе не наступать — прямо из зимы перенесемся, наверно, в лето.

Весь день я давал интервью и больше уже не в силах говорить о новой книге. Журналисты задают те же вопросы, что и всегда: читала ли ее моя жена (отвечаю, что не знаю), не кажется ли мне, что критика ко мне несправедлива (что-что?), не шокировало ли «Время раздирать и время сшивать» читателей тем, как выставлена напоказ моя личная жизнь (писатель всегда пишет только о себе), будет ли по этой книге снят фильм (в тысячный раз отвечаю, что фильм этот мысленно снимает каждый из моих читателей и что я отказался продавать права на экранизацию), что я думаю о любви, почему пишу о любви, что сделать, чтобы обрести счастье в любви, любви, любви...

Когда окончилась пресс-конференция, по издавна заведенному ритуалу начался ужин с издателями. За столом — важные люди, которые всякий раз, как я подношу вилку ко рту, прерывают это движение неизменным вопросом: «Где вы черпаете вдохновение?» Я пытаюсь есть, но мне надо быть обаятельным, надо разговаривать, исполнять роль знаменитости, рассказывать что-то занятное, производить впечатление. Я знаю, что издатель — герой: никогда ведь не узнаешь заранее, распродастся ли тираж, а торговать бананами или мылом — дело куда более надежное, у бананов или мыла нет тщеславия и непомерного эгоцентризма, они не жалуются, что рекламная компания плохо организована или что в таких-то и таких-то магазинах нет книги.

После ужина всегдашний маршрут: мне хотят показать все, что есть в этом городе, — памятники, исторические достопримечательности, модные бары. И обязательно будет всеведущий гид, забивающий мне голову разнообразными сведениями, а я должен делать вид, будто внимательно слушаю, и время от времени задавать вопросы, чтобы показать — мне интересно. Я видел едва ли не все памятники, музеи, достопримечательности во многих городах мира, где побывал с очередной книгой, — и не помню решительно ничего. В памяти остается нечто неожиданное — встречи с читателями, бары, улицы, на которых оказываешься случайно: наугад свернул за угол — и увидел чудо.

Однажды я даже задумал написать такой путеводитель, где были бы только карты городов, адреса отелей, а все остальное — чистые страницы: тогда каждому человеку пришлось бы самому разрабатывать свой собственный единственный и неповторимый маршрут, открывать для себя монументы, и рестораны, и прелестные уголки — они есть в каждом городе, но о них не пишут, потому что «история, которую нам преподносят» не снабдила их пометкой «посетить обязательно».

Я уже бывал раньше в Загребе. И этот фонтан, хоть он и не упомянут ни в одном путеводителе, важнее для меня всего прочего: он — красив, я наткнулся на него случайно, и он связан с житейской историей. Много лет назад, когда я был молод и бродил по свету просто так, в поисках приключений, мне повстречался хорватский художник, и какое-то время мы путешествовали вместе. Потом я собрался в Турцию, а он — домой, и мы простились вот здесь, выпив по бутылке вина и обсудив все, что встретилось нам, — религию, женщин, музыку, цену за номер в отеле, наркотики. Мы говорили обо всем на свете, кроме любви, потому что любили и не нуждались в разговорах на эту тему.

После того как художник вернулся к себе домой, я познакомился с одной девушкой, и в течение трех дней мы любили друг друга так сильно, как только возможно, хоть оба знали, что любовь наша будет недолгой. Она открыла мне душу своего народа, и я никогда этого не забуду, как не забуду и прощания с моим спутником-художником.

И потому, после всех интервью, автографов, осмотра памятников и достопримечательностей я ошеломил своих издателей, попросив отвезти меня к тому фонтану. Они спросили, где он находится, а я не знал, как не знал и того, какое множество фонтанов в Загребе. И все-таки после целого часа поисков мы все-таки нашли его. Я заказал бутылку вина, мы со всеми распрощались и вот теперь вдвоем с Мари сидели обнявшись, потягивали вино и ждали рассвета.

— С каждым днем ты становишься спокойней и радостней, — сказала она, склонив голову ко мне на плечо.

— Потому что пытаюсь позабыть, кто я. А верней — мне не нужно больше тащить на плечах бремя прошлого.

Я пересказал ей разговор с Михаилом о кочевниках.

— С актерами происходит нечто подобное, — замечает она. — Каждая новая роль заставляет забывать о том, кто ты, и вживаться в новый образ. Но в конце концов все кончается расстроенными нервами и душевной сумятицей. Ты считаешь, что отринуть и забыть свою личную историю — это разумный выход из положения?

— Не ты ли сказала, что мне это пошло на пользу?

— Мне-то кажется, ты меньше думаешь о себе. Мне понравилось, как все сбились с ног, отыскивая этот фонтан, но ведь ты сам себе противоречишь: он — часть твоего прошлого.

— Это — символ для меня. Но ведь я не тащу его за собой повсюду, не думаю о нем ежеминутно, не фотографирую его, чтобы потом показывать снимки друзьям, не тоскую об этом художнике или о той девушке, в которую был так сильно влюблен тогда. Очень хорошо, что я вернулся сюда, а не вернулся бы — ничего бы не изменилось в моей жизни.

— Я понимаю тебя.

— Хорошо, если так...

— А мне грустно, потому что заставляет думать о том, что мы расстанемся. Я знала это с первой минуты, и все-таки мне трудно: я уже привыкла.

— В том-то и дело: мы привыкаем.

— Это свойственно человеку.

— Именно поэтому женщина, которую я любил, превратилась в *Заир*. Вплоть до того дня, как на меня наскочил мотоцикл, я убеждал себя, что счастлив могу быть с нею одной, и вовсе не потому, что любил ее больше всего на свете. А потому, что был убежден — только она меня понимает, знает мои вкусы, привычки, пристрастия, мои взгляды на мир.

Я был благодарен ей за все, что она сделала для меня, и думал, что и она благодарна мне за все, что я сделал для нее. Помнишь историю о двух пожарниках? Один был испачкан копотью...

Мари отстранилась, и я заметил слезы у нее на глазах.

— Для меня весь мир был этим, — продолжал я. — Отражением красоты Эстер. Это — любовь? Или это зависимость?

— Не знаю. Мне кажется, любовь и зависимость друг без друга не ходят.

— Может быть. Но, предположим, вместо того, чтобы написать «Время раздирать...», а ведь на самом деле это — лишь письмо женщине, с которой разлучен, я выбрал бы себе иной путь. Ну, например:

Муж и жена — уже десять лет вместе. Раньше, предположим, они занимались любовью каждый день, теперь — раз в неделю, это не так уж важно: они служат друг другу опорой, они — сообщники и друзья. Ему грустно, когда приходится ужинать в одиночестве, потому что жена задерживается на работе, которой должна уделять много времени. Она жалуется, что он часто уезжает, однако понимает, что это входит в его профессию. Оба сознают — чего-то начинает не хватать, но ведь они взрослые, зрелые люди и понимают, как важно сохранить стабильные отношения, да хотя бы во имя детей. И они все сильней отдаются работе и детям и все меньше думают о своем супружеском союзе, которому на первый взгляд ничего не грозит, ибо у мужа нет любовницы, а у жены — возлюбленного.

Да, они замечают — что-то не так. Но не могут понять, что именно. А годы идут, и они все сильней зависят друг от друга, ибо не за горами старость, и шансов начать новую жизнь все меньше. И все больше времени они посвящают заботам друг о друге, чтению, телевизору, вышиванию, друзьям, но все равно ведь за ужином или после ужина приходится разговаривать. И он раздражается по пустякам, а она становится еще молчаливей, чем всегда. Каждый видит, что они отдаляются друг от друга, и не понимает почему. И оба постепенно приходят к выводу, что это и есть супружество, но не желают обсуждать это со своими друзьями и поддерживают образ счастливой семьи, где муж и жена живут интересами друг друга и друг друга поддерживают. Одно увлечение, другой мимолетный роман — но, разумеется, ничего серьезного. Важно, необходимо, единственно возможно — вести себя так, словно ничего не происходит, ибо поздно меняться.

— Да, я знаю эту историю, хоть она и не про меня. И я считаю, что жизнь тренирует нас, готовя к подобным ситуациям.

Снимаю пальто и взбираюсь на ограждение фонтана.

— Куда ты? — спрашивает Мари.

— Хочу дойти до колонны.

— Ты с ума сошел. Скоро весна, лед уже тонок.

— Я должен дойти.

Ставлю ногу, ледяной покров весь целиком приходит в движение, но не ломается. Я глядел, как восходит солнце, и загадывал: если сумею дойти до колонны и вернуться и лед не треснет — значит, я на верном пути. Значит, Божья рука ведет меня.

— Провалишься в воду.

— Ну и что? Я рискую лишь тем, что обледенею, но наш отель недалеко, и там я оттаю.

И вот я стою обеими ногами: по краям, возле бортиков, на поверхность выплескивается немного воды, но лед не ломается. Я иду к колонне — это всего лишь четыре метра, считая туда и обратно, и я рискую лишь выкупаться в холодной воде. Впрочем, чего уж теперь думать о риске — ведь первый шаг уже сделан, теперь надо идти до конца.

И я иду, и дохожу до колонны, и прикасаюсь к ней, и слышу под ногами треск — однако лед еще держит. Мне хочется броситься бегом, но подсознательно я понимаю — в этом случае давление усилится и я провалюсь. Возвращаться надо так же медленно, в том же ритме.

Восходящее солнце — прямо передо мной, оно немного слепит: я вижу лишь смутный абрис Мари, очертания зданий и деревьев. Лед ходит ходуном, вода плещется у краев бассейна, заливает кромку льда, но я знаю — я непреложно в этом уверен, — что сумею дойти. Ибо я — заодно с этим днем, я сам сделал свой выбор, я знаю, на что способна замерзшая вода, и сумею совладать с ней, попросить, чтобы она помогла мне, чтобы не дала упасть. Я испытываю странное, безотчетное ликование — будто впадаю в транс — и снова чувствую себя ребенком, который делает нечто запретное и нехорошее, но одаривающее таким невероятным наслаждением. Какое блаженство! Как хорошо заключить безумную сделку с Богом: «Если я сумею сделать то-то и то-то, произойдет так-то и так-то», знамения и приметы, идущие не извне, но изнутри, порожденные способностью преступать вечные правила и творить новые ситуации.

Я благодарен судьбе за встречу с Михаилом — с эпилептиком, которому слышатся голоса. Я встретился с ним, отыскивая мою жену, и вижу теперь, что он превратил меня в бледное подобие того, каким был я прежде. Эстер по-прежнему важна для меня? Да, наверное — это ее любовь преобразила меня когда-то и преображает сейчас. Мою давнюю, мою старую историю было все тяжелее нести за плечами, все труднее было осмелиться пойти на риск — вот на такой, к примеру, как ступить на хрупкий лед, заключить сделку с Богом, самому себе послать знамение. Я позабыл, что Путь Сантьяго надо всякий раз одолевать заново, что необходимо избавляться от лишнего груза, оставляя лишь то, без чего не проживешь и дня. Надо добиться того, чтобы Энергия Любви циркулировала без помех: изнутри — наружу, снаружи — вовнутрь.

Раздается треск, появляется разлом — но я знаю, что дойду, потому что я — легок, я легче пуха, я могу пройти по облаку и не свалиться на землю. Я не тащу на себе бремя славы, рассказанных историй, обязательных маршрутов: я — прозрачен, и солнечные лучи свободно проникают сквозь мою плоть, освещая мою душу. Я понимаю, что во мне еще много темных зон, но благодаря мужеству и упорству они скоро очистятся.

Еще шаг — и на память мне приходит конверт на моем письменном столе. Скоро я вскрою его и, вместо того чтобы идти по льду, двинусь по дороге, которая приведет меня к Эстер. И не потому, что я хочу, чтобы она была рядом со мной, — нет, она может оставаться там, где находится сейчас. И не потому, что *Заир* не дает мне покоя ни днем, ни ночью, — разрушительная одержимость любовью, похоже, оставила меня. И не потому, что я привык к своему прошлому и страстно желаю вернуться в него.

Еще шаг, еще трещина, но спасительная закраина чаши приближается.

Я вскрою конверт, я отправлюсь навстречу Эстер, ибо, как говорит Михаил — эпилептик, ясновидящий, гуру из армянского ресторана, — этой истории необходимо завершение. И когда все будет рассказано и пересказано, когда города, где я бывал, мгновения, которые прожил, шаги, что предпринимал ради нее, — когда все это превратится в отдаленные воспоминания, тогда останется всего лишь любовь в чистом виде. Я не буду чувствовать, что должен кому-то что-то, не буду считать, что нуждаюсь в Эстер, потому что лишь она способна меня понять, потому что я к ней привык, потому что она знает мои сильные и слабые стороны, достоинства и пороки, знает, что перед сном я люблю съесть ломтик поджаренного хлеба, а проснувшись — смотрю по телевидению выпуск международных новостей, что обязательно гуляю по утрам, что читаю книги о стрельбе из лука, что много часов провожу перед компьютером, что впадаю в ярость, когда прислуга несколько раз напоминает, что обед — на столе.

Все это сгинет. Останется любовь, которая движет небом, звездами, людьми, цветами, насекомыми и заставляет всех идти по тонкому льду, которая заполняет душу радостью и страхом и — придает смысл всему сущему.

И вот я прикасаюсь к каменной закраине. Навстречу протягивается рука, и я хватаюсь за нее. Мари помогает мне удержать равновесие и вылезти.

— Я горжусь тобой. Сама бы я никогда на такое не решилась.

— Мне кажется, что еще совсем недавно и я бы на такое не решился — это какое-то необязательное, бессмысленное, безответственное ребячество. Но я возрождаюсь и должен рисковать, пробуя и испытывая новое.

— Утреннее солнце идет тебе на пользу: ты рассуждаешь как мудрец.

— Мудрецы никогда не сделали бы того, что сделал я сейчас.

Я должен написать важную статью для одного журнала, который дал мне крупный кредит в Банке Услуг. У меня — сотни, тысячи идей, однако я не знаю, какая именно из них заслуживает моих усилий, моей сосредоточенности, моей крови.

Такое случается со мной не впервые, но всякий раз я считаю, что все важное уже давно сказал, что теряю память и забываю о том, кто я такой.

Подхожу к окну, смотрю на улицу, пытаюсь убедить себя, что я — человек, состоявшийся в плане профессиональном, что мне ничего никому не надо доказывать, что я могу сидеть где-нибудь в горах до конца дней своих — читать, совершать прогулки, разговаривать о тонкостях кулинарии и капризах погоды. Говорю и повторяю, что достиг того, чего не достигал почти ни один писатель — меня издают едва ли не на всех языках мира. Так зачем же ломать голову над статейкой для журнала, как бы важна ни была она?

Зачем? Затем, что существует Банк Услуг. Значит, я и в самом деле должен писать, но что мне сказать людям? Что им следует забыть истории, рассказанные им прежде, и не бояться идти на риск?

Всякий скажет мне в ответ: «Я — независим и делаю то, что сам для себя выбрал».

Сказать, что Энергия Любви должна циркулировать свободно и беспрепятственно?

Люди ответят: «Я люблю. Я люблю все сильней», словно любовь можно измерить, как измеряем мы ширину железнодорожной колеи, высоту зданий или количество ферментов, необходимых, чтобы испечь булку.

Вновь сажусь за стол. Конверт, оставленный мне Михаилом, вскрыт, я знаю теперь, где находится Эстер, теперь надо выяснить, как туда попасть. Звоню ему, рассказываю историю с фонтаном. Он приходит в восторг. Спрашиваю, свободен ли он сегодня вечером, он отвечает, что собирался провести его со своей возлюбленной, ее зовут Лукреция. Могу ли я пригласить их на ужин? Сегодня — нет, но на будущей неделе мы можем встретиться.

Но на будущей неделе я улетаю в Америку — там очередной «круглый стол». Время терпит, отвечает Михаил, подождем еще две недели.

— Наверное, вы пошли по льду, потому что услышали *Голос?* — добавляет он.

— Нет, я ничего не слышал.

— Почему же вы это сделали?

— Потому что почувствовал — это надо сделать.

— Это то же самое, что услышать *Голос.*

— Я заключил пари. Если сумею пройти по льду, то это потому, что я готов. И я думаю, что готов.

— Значит, *Голос* подал вам сигнал, который вы ждали.

— А вам *Голос* сказал что-нибудь по этому поводу?

— Нет. Но это и не нужно. Когда мы с вами шли по набережной Сены и я сказал вам: «*Голос* предупреждает, что время еще не настало», я понял, что в нужный час вы услышите его.

— Говорю же вам: я не слышал никакого голоса.

— Это вы так думаете. Это все так думают. И тем не менее *присутствие* подсказывает мне: все постоянно слышат *голоса*. Это они дают понять, что нам был послан знак. Понимаете?

Не стоит вступать с Михаилом в спор. Мне нужны только технические подробности — узнать, где взять машину напрокат, сколько времени займет путь, как найти дом, — потому что передо мной, кроме карты, лишь свод невнятных указаний: идти по берегу такого-то озера, отыскать вывеску такого-то предприятия, повернуть направо и т. д. Быть может, Михаил знает кого-нибудь, к кому бы я мог обратиться за помощью.

Мы условливаемся о встрече. Михаил просит меня одеться как можно более незаметно — «племя» будет странствовать по Парижу.

Я спрашиваю, что такое «племя», и слышу лаконичный ответ: «Это люди, работающие со мной в ресторане». Спрашиваю, что привезти ему из Америки, и он просит лекарство от изжоги. Хотя мне кажется, что можно было бы выбрать что-нибудь поинтересней, я записываю название этих таблеток.

*Н*у хорошо, а статья?

Возвращаюсь к столу, думаю, о чем бы написать, и, вновь поглядев на вскрытый конверт, прихожу к выводу, что его содержимое меня не удивило. В глубине души, после нескольких встреч с Михаилом, я ожидал чего-то подобного.

Эстер находилась в степи, в маленьком городке Центральной Азии, а точнее — в Казахстане.

Я больше никуда не тороплюсь: пересматриваю заново свою историю, которую заставил себя подробно рассказать Мари. Она решила сделать то же самое, и, хотя многое в ее рассказе меня удивляет, это дает результаты: она становится спокойней, уверенней, избавляется от тревоги.

Не знаю, почему я так хочу отыскать Эстер: ведь ее любовь уже озарила мою жизнь, научила меня новому — ну, и не хватит ли этого? Но я вспоминаю слова Михаила: «История должна быть завершена» — и решаю идти дальше. Я знаю, что сумею определить тот миг, когда лед нашего супружества дал трещину, но мы, оказавшись в холодной воде, делали вид, будто ничего не произошло. Я знаю, что сумею определить этот миг еще до того, как приеду в казахский городок, чтобы замкнуть круг или чтобы сделать его больше.

Статья! Неужели Эстер вновь превратилась в *Заир* и не позволит мне думать ни о чем другом?

Да нет: когда я должен сделать что-то срочное, что-то требующее всплеска творческой энергии, то все происходит именно так, как сейчас, — я взвинчиваю себя чуть ли не до истерики, и в тот самый миг, когда я решаю все бросить, все получается. Я пробовал действовать иначе, что-то готовя загодя, но оказывается, что мое воображение работает исключительно в том случае, если оказывать на него гигантское давление. Я не могу пренебречь Банком Услуг, я обязан отослать в редакцию три страницы о — нет, только представьте себе! — о проблеме взаимоотношений мужчины и женщины. При чем тут я?! Однако издатели журнала решили, что человек, написавший «Время раздирать и время сшивать», просто обязан разбираться в тайнах человеческой души.

Я пытаюсь выйти в Интернет, однако ничего не получается: после того как я раздавил модем, что-то непоправимо изменилось. Я уже несколько раз вызывал техников, но когда они соизволили появиться, то обнаружили в компьютере много загадочного. Они спрашивали, что меня не устраивает в его работе, не менее получаса проверяли систему, меняли конфигурацию, а потом объявили, что все дело в провайдере. Я дал себя убедить, ведь в конце концов все в полном порядке, и я чувствую себя очень глупо, попросив помощи. Часа через два-три — новый коллапс... Теперь, промучившись несколько месяцев, я признаю, что техника могущественней и сильней меня: она работает, когда хочет, а когда не хочет, то владельцу ее лучше почитать газету, прогуляться, подождать, пока не изменится настроение кабелей и телефонных сетей, и тогда она вновь заработает. Да какой я владелец — она живет собственной жизнью.

Еще две-три попытки выйти в сеть, и я понимаю — подтверждается моим собственным опытом, — что странствие благоразумней отложить. Двери Интернета, самой крупной в мире библиотеки, пока закрыты для меня. Почитать журналы, поискать в них вдохновение? Я беру один из тех, что доставлены мне сегодня, и натыкаюсь на странное интервью одной дамы, только что выпустившей книгу — о чем бы вы думали? — о любви. Никуда не денешься от этой темы.

Журналист спрашивает: «Неужели человек может достичь счастья только в том случае, если он встречает любимое существо?» «Нет», — отвечает дама.

«Идея, что любовь дарит счастье, возникла относительно недавно — в конце XVII века. С тех пор мы уверовали в то, что любовь должна длиться вечно, а брак — наилучшее место для нее. В древности представления о любви не были столь оптимистичны. Ромео и Джульетта — это трагедия, а не история со счастливым концом. В последние десятилетия взгляды на супружество как на путь к самореализации распространились особенно широко, равно как и разочарование и неудовлетворенность».

Смелое заявление, однако ничем не поможет мне сочинить статью — прежде всего потому, что я совершенно не согласен с ним. Снимаю с полки книгу, не имеющую ничего общего со взаимоотношениями мужчины и женщины. Называется — «Магические ритуалы Севера Мексики». Если уж моя одержимость не помогает мне написать статью, надо хоть отвлечься, переключиться на что-то другое.

Начинаю листать и вдруг, к своему удивлению, читаю следующее:

«В нашей жизни существует фактор, отвечающий за то, что мы перестали двигаться вперед. Это может быть травма, особенно досадная неудача, разочарование в любви или даже победа, значение которой мы не оценили в полной мере, — любое из перечисленного заставляет нас потерять мужество и остановиться в своем поступательном развитии. Колдун, развивая свои оккультные дарования, должен прежде всего избавиться от этой «точки примирителя», а чтобы обнаружить ее, должен пересмотреть всю свою жизнь».

Примиритель! Это прекрасно вяжется с тем, как я учился стрелять из лука. Это — единственный вид спорта, который меня привлекает. Тренер говорил, что каждый выстрел — неповторим и потому не стоит повторять достижения и избегать ошибок. Надо сотни и тысячи раз повторять одно и то же до тех пор, пока мы не отрешимся от задачи попасть в цель и не превратимся в лук, стрелу и цель. В этот миг энергия «этого» (мой наставник в *кидо* — стрельбе из японского лука — никогда не произносил слово «Бог») будет направлять наши движения и мы будем посылать стрелу

259

не когда захотим, а когда «*оно*» сочтет, что время для этого пришло.

Примиритель. Начинает проявляться еще одна часть моей личной истории. Как хорошо, если бы Мари была здесь в эту минуту! Я должен говорить о себе, о своем детстве, о том, что рос забиякой и драчуном и всегда бил всех остальных ребят нашей ватаги, потому что был там самым старшим. Но однажды мне крепко досталось от двоюродного брата, и, решив, что отныне никогда не смогу никого одолеть, я стал избегать любых столкновений, хотя и выглядел трусом в глазах моих возлюбленных и друзей.

Примиритель. В течение двух лет я пытался научиться играть на гитаре: поначалу я делал успехи, но на каком-то этапе словно заколодило, и дальше уже не пошло — ибо я заметил: другие обучаются скорей, и, почувствовав себя бездарью, решил, чтобы не позориться, что меня это больше не интересует. Точно так же обстояло дело с футболом и велосипедом — я быстро овладевал навыками, необходимыми, чтобы все делать вполне прилично, и с определенного момента уже не мог продвинуться дальше.

Почему?

Потому что в истории, которая была нам поведана, сказано, что в какой-то момент нашей жизни мы «достигаем рубежа». Сколько раз я вспоминал, как боролся за то, чтобы стать писателем, и как противилась Эстер тому, чтобы Примиритель диктовал мне правила, по которым можно мечтать. Прочтенная мною фраза хорошо сочеталась с идеей о необходимости забыть личную историю и остаться лишь с инстинктом, развитым трагедиями и трудностями, которые мы проживаем: так поступали мексиканские колдуны, так молились кочевники в степях Центральной Азии.

Примиритель: «*фактор, отвечающий за то, что мы перестали двигаться вперед*».

Это согласуется в роде, числе и падеже и с браками вообще, и с моими отношениями с Эстер — в частности.

Да, теперь я мог написать статью. И присел к компьютеру, и через полчаса черновик был готов, и я остался им доволен. Я придал ему форму диалога, который и в самом деле состоялся однажды в номере амстердамской гостиницы, после раздачи автографов, ужина и осмотра туристических достопримечательностей.

В моей статье не указаны имена персонажей и то, при каких обстоятельствах они ведут свой диалог. В реальности же Эстер в ночной рубашке смотрит из окна на канал. Она еще не работает военным корреспондентом, у нее еще веселые глаза, она обожает свою профессию, ездит со мною вместе, и жизнь все еще продолжает быть приключением. Я лежу на кровати и по большей части молчу, обдумывая дела на завтра.

— На прошлой неделе я брала интервью у специалиста по допросам. Он рассказал мне, что вытягивает большую часть нужных ему сведений, используя метод «из огня — в лед». Сначала приходит полицейский, который угрожает, орет, грубит, стучит кулаком по столу. Когда арестованный уже достаточно напуган, появляется «добрый следователь», приказывает «злому» не безобразничать, дает арестованному закурить, сочувствует ему — и таким вот образом добивается своего.

— Слыхал...

— Между прочим, он рассказал мне и такое, от чего я пришла в ужас. В 1971 году ученые из Стенфордского университета для изучения психологии допроса решили смоделировать тюрьму. 24 добровольцев разделили на две группы — «тюремщиков» и «заключенных».

Через неделю эксперимент пришлось прервать: «тюремщики» — а все это были нормальные юноши и девушки из хороших семей — превратились в самых настоящих монстров. Применение пыток стало обычным делом, сексуальное насилие над «заключенными» рассматривали как самое обычное дело. Обе группы студентов получили такие тяжелые травмы, что должны были потом долго лечиться. Этот эксперимент никогда больше не повторяли.

— Интересно.

— Что тебе интересно? Я говорю о вещах чрезвычайной важности — о способности человека творить зло, если и как только для этого представится возможность. Я говорю о своей работе! О том, что узнала!

— Это я и нахожу интересным. Чего ты злишься?

— Злюсь? Как я могу злиться на человека, который не обращает ни малейшего внимания на то, что я говорю?! Как может раздражать меня человек, который не провоцирует меня, а лежит, уставившись в неведомую даль?!

— Ты пила сегодня?

— Зачем ты спрашиваешь — разве сам не знаешь? Я весь вечер — рядом, а ты не заметил, пила я или нет?! Ты обращаешься ко мне, только чтобы услышать подтверждение своих слов или когда хочешь, чтобы я рассказала, какой ты замечательный!

— Ты, наверно, забыла, что у меня был трудный день, и я устал. Давай лучше утром поговорим. Почему ты не ложишься?

— Потому что я делаю это каждый день, каждую неделю, каждый месяц на протяжении последних двух лет! Я пытаюсь говорить с тобой, но ты слишком устал за день, «ляжем спать, а завтра поговорим». Так проходит моя жизнь: я жду, когда настанет день и ты снова будешь со мной рядом, когда я ни о чем не буду тебя просить, когда я создам мир, где смогу укрываться всякий раз, как мне это понадобится. Этот мир должен быть не слишком далеко — чтобы не показалось, что я веду независимое существование. Но и не слишком близко — чтобы не возникло искушения вторгнуться в твою вселенную.

— Что я должен сделать? Перестать писать? Бросить все то, что досталось нам так трудно, и отправиться в круиз по Карибам? Ты не понимаешь, что мне нравится мое занятие, и я не собираюсь менять свою жизнь.

— В своих книгах ты говоришь о том, как важна любовь, о том, что надо рисковать, о радости, которую доставляет борьба за мечты. Но кто же передо мной? Человек, который не читает того, что сам написал. Человек, который путает любовь с расчетом, приключение — с ненужным риском, а радость — с обязанностью. Где же тот, за кого я выходила замуж, тот, кто прислушивался к моим словам?!

— А где женщина, на которой я женился?

— Та, которая неизменно дарила нежность, служила опорой и окрыляла? Телом она здесь, у окна с видом на амстердамский канал Зингель, и, наверное, останется рядом с тобой навсегда. А душой... душой она у дверей этого номера и готова уйти навсегда.

— Из-за чего?

— Из-за проклятой фразы «завтра утром поговорим». Достаточное основание? Если нет, вспомни, что женщина, на которой ты женился, умела ощущать радость бытия, была полна новых идей, желаний, а теперь стремительно превращается в матрону.

— Глупости.

— Хорошо, пусть это глупости. Ерунда! Безделица, которой можно пренебречь, особенно если вспомнить, что у нас все есть, что мы богаты, что добились успеха и признания и не устраиваем друг другу сцен ревности из-за случайных увлечений. Помимо всего прочего, в мире голодают миллионы детей, есть войны, болезни, стихийные бедствия, и каждую минуту происходят трагедии. В самом деле, на что мне жаловаться?

— Ты не находишь, что нам пора завести ребенка?

— Все известные мне супружеские пары таким образом решают свои проблемы: «Заведем ребенка!» И это предлагаешь мне ты, так высоко ценящий свою свободу, считающий, что мы должны непременно двигаться вперед?

— Я считаю, что время пришло.

— А по-моему, это самое что ни на есть неудачное время! Нет, я не хочу ребенка от тебя — я хочу ребенка от человека, которого знала прежде, который умел мечтать, который был рядом со мной! Если я когда-нибудь решусь родить, то отцом моего ребенка должен быть человек, который меня понимает, слушает и слышит, которому я желанна по-настоящему.

— Я уверен, что ты выпила. Правда, давай поговорим завтра... Ложись, я очень устал.

— Ладно, поговорим завтра. А если моя душа, которая стоит на пороге этого номера, решится уйти, это не слишком сильно омрачит нашу жизнь.

— Она не уйдет.

— Ты очень хорошо знаешь мою душу, но уже много лет не разговариваешь с ней, не замечаешь, как сильно она изменилась, не обращаешь внимания на то, как отчаянно она просит, чтобы ее выслушали... Даже если речь идет о таких банальностях, как эксперименты в Стенфордском университете.

— Если твоя душа так переменилась, почему же ты осталась прежней?

— Потому что я трусиха. Потому что знаю — мы поговорим завтра. Потому что мы многое построили вместе, и я не хочу, чтобы это было разрушено. Или просто потому, что я привыкла, — это самая серьезная причина.

— Пять минут назад ты обвиняла во всем этом меня.

— Ты прав. Я поглядела на тебя, я увидела тебя, однако на самом деле это была я. Сегодня ночью я соберу все свои силы, всю свою веру и помолюсь, чтобы Господь не позволил мне до конца дней моих жить так, как я живу.

Я слышу аплодисменты. Зал полон. Сейчас я начну то, что неизменно вгоняет меня в бессонницу накануне, — лекцию.

Ведущий сообщает, что я не нуждаюсь в представлениях, — что есть совершеннейшая чушь: зачем тогда он вылез на сцену? Тем более что многие зрители не вполне ясно сознают, кто я такой, — их привели друзья. Однако он все же сообщает кое-какие биографические сведения, говорит о моих качествах, о моих премиях, о миллионах экземпляров проданных книг. Благодарит организаторов и спонсоров и предоставляет слово мне.

Я тоже начинаю с благодарностей. Говорю, что о самом главном и важном я написал в своих книгах, но считаю, что у меня есть обязательства перед читателями — показать человека, который стоит за своими фразами и абзацами. Объясняю: так уж устроен человек, что всегда находится в поисках любви и понимания. И потому мои книги неизменно будут лишь видимым кусочком горной вершины, укрытой облаками, или острова в океане: солнце освещает их, и все, кажется, стоит на своих местах, но под этим во тьме таится неведомое и непрестанные поиски самого себя.

Я рассказываю о том, как трудно далось «Время раздирать и время сшивать» и что лишь теперь, перечитывая эту книгу, я начал понимать некоторые ее фрагменты, ибо творение — выше творца.

Говорю о том, что читать интервью или слушать выступления автора, который пытается объяснить своих героев, — занятие бездарное: ибо написанное либо само себя объяснит, либо и прочтения не заслуживает. Когда писатель появляется на публике, он должен попытаться показать свою вселенную, а не объяснять смысл своей книги. И потому я начинаю говорить о личном:

— Некоторое время назад я был в Женеве и дал там серию интервью. Поскольку намеченный моей приятельницей ужин пришлось отменить, я отправился бродить по городу. Был чудесный вечер — пустынные улицы, оживленные бары и рестораны, и все было совершенно тихо, спокойно, прекрасно, как вдруг...

...как вдруг я понял, что нахожусь в полнейшем одиночестве.

Разумеется, в том году мне уже случалось оставаться одному. Разумеется, в двух часах лёта меня ожидала моя возлюбленная. Разумеется, после такого насыщенного и трудного дня нет ничего лучше, чем пройтись по узеньким улочкам и переулкам старинного города, ни с кем ни о чем не разговаривая, а просто любуясь окружающей тебя красотой. Однако на этот раз ощущение одиночества было гнетущим и тоскливым — мне не с кем было разделить прелесть прогулки, некому высказать всплывающие в голове мысли.

Я вынул из кармана мобильный телефон — в конце концов, в городе у меня имелось немало друзей, — но спохватился, что звонить кому-либо из них уже поздно. Подумал было, не зайти ли в бар — кто-нибудь наверняка меня узнает и пригласит за свой столик. Но я поборол искушение и решил прожить эти мгновения до конца, приходя к выводу, что нет ничего хуже, чем чувствовать, что никому нет дела — существуешь ты на свете или нет, что никому не интересны твои представления о жизни, что мир превосходнейшим образом может обойтись без твоего беспокойного присутствия.

Я стал представлять, сколько миллионов людей в эту минуту осознали собственную никчемность и убожество — как бы привлекательны, очаровательны, богаты ни были они на самом деле — только потому, что оказались в одиночестве сегодня вечером, и вчера, и, быть может, завтра тоже будут одиноки. Студенты, которым не с кем провести время; старики перед экраном телевизора; бизнесмены в номерах отелей, вдруг задумавшиеся: есть ли хоть какой-нибудь смысл в том, чем они заняты; женщины, которые красят ресницы и взбивают локоны, чтобы пойти в какой-нибудь бар, притворяясь, что общество им вовсе не нужно, а важно лишь убедиться, что они еще могут привлекать внимание. Мужчины оглядывают их, пытаются завести разговор, а те отбивают любую попытку и сидят с неприступным видом, ибо в них играет комплекс неполноценности, и они боятся, что обнаружится — они матери-одиночки или мелкие служащие, неспособные поддержать беседу о том, что происходит в мире, ибо они работают так тяжко, что у них не остается времени следить за новостями.

Люди смотрятся в зеркало и считают себя уродливыми: они уверены, что красота есть основа основ, и довольствуются тем, что листают журналы, где все — красивы, богаты, знамениты. Мужья и жены, покончив с ужином, хотели бы, может быть, поговорить, как в былые времена, но существуют заботы и дела поважней, а разговор может подождать до утра, которое не наступит никогда.

В тот день я обедал со своей приятельницей, совсем недавно расставшейся с мужем, и она сказала мне: «Теперь я обрела свободу, о которой всегда мечтала!» Это — ложь. Никто не хочет такой свободы, всем нужен рядом близкий человек, перед которым у тебя есть обязательства, с которым можно любоваться красотами Женевы, говорить о книгах, интервью, фильмах или просто поделиться бутербродом, если два бутерброда купить не на что. Лучше съесть половину, но вдвоем, чем целый, но в одиночестве. Лучше, когда твое замечание о колокольне готического собора перебивает муж, торопящийся домой, потому что по телевизору будут передавать репортаж с важного футбольного матча, или жена, застывшая перед витриной, чем когда перед тобой — вся Женева и тебе никто не помешает осмотреть ее всласть.

Лучше страдать от голода, чем от одиночества. Ибо когда ты один — я сейчас говорю об одиночестве, не выбранном сознательно, а о том, которое мы обязаны принять, — ты словно бы перестаешь быть частью рода человеческого.

На другом берегу реки меня ждал роскошный номер отеля с внимательной обслугой и безупречным сервисом — но вместо того, чтобы радоваться и гордиться тем, чего я достиг, мне становилось только хуже.

На обратном пути я иногда встречался глазами с людьми, оказавшимися в таком же положении, и замечал, что одни смотрят высокомерно, словно заявляя, что сами предпочли сегодня вечером одиночество, а другие — печально, словно стыдятся того, что оказались одни.

Все это я к тому, что недавно мне вспомнился отель в Амстердаме и женщина — она была рядом со мной, она говорила со мной и рассказывала мне о себе. Все это я к тому, что, хотя Екклезиаст уверял, будто есть время раздирать и время сшивать, первое иногда оставляет очень глубокие шрамы. Хуже, чем в убогом одиночестве бродить по Женеве, — это быть рядом с человеком и вести себя с ним так, что он чувствует, будто не играет ни малейшей роли в твоей жизни.

После продолжительного молчания раздались аплодисменты.

$\mathcal{M}$есто, куда я пришел, выглядело довольно мрачно, хоть и располагалось в парижском квартале, о котором говорили, что это — средоточие культурной жизни. Не сразу понял я, что группа оборванцев передо мной — это те самые люди, что по четвергам выступали в армянском ресторане, облаченные в незапятнанные белые одежды.

— К чему этот маскарад? Фильмов насмотрелись?

— Это не маскарад, — ответил Михаил. — Разве вы, отправляясь на званый ужин, не одеваетесь соответственно? Разве на партию гольфа вы приходите в костюме-тройке и при галстуке?

— Хорошо, я спрошу иначе: почему вы решили подражать моде безбашенных юнцов?

— Потому что в данную минуту мы и есть безбашенные юнцы. Вернее — четверо безбашенных юнцов и двое взрослых.

— И еще раз переиначу свой вопрос: что вы делаете здесь, одевшись таким образом?

— В ресторане мы питаем плоть и говорим об Энергии с теми, кому есть что терять. Среди нищих мы питаем душу и разговариваем с теми, кому терять нечего. А сейчас мы приступаем к самой важной части нашей работы: пытаемся отыскать невидимое движение, которое обновляет мир, — людей, которые проживают каждый день так, словно он — последний, тогда как старики живут так, словно он — первый.

272

Он говорил о том, что я и сам замечал с каждым днем все чаще — группы молодежи в грязной, причудливой одежде, покрой которой свидетельствовал о немалой творческой выдумке, — не то военная форма неведомой армии, не то персонажи научно-фантастического фильма. У всех — пирсинг, все острижены и причесаны невероятным образом. Почти всегда с ними ходит немецкая овчарка устрашающего вида. Однажды я спросил кого-то из приятелей, зачем эти юнцы повсюду таскают с собой собаку, и тот объяснил мне — уж не знаю, насколько объяснение соответствует действительности, — что в этом случае полиция их не трогает, потому что неизвестно, куда девать собаку.

По кругу уже ходила бутылка водки — как и при общении с нищими, предпочтение отдавалось именно этому напитку, — и я подумал, что объясняется это происхождением Михаила. Я тоже сделал глоток, представляя, что сказали бы мои знакомые, застав меня в таком обществе и за таким занятием.

А что? Сказали бы: «Собирает материал для новой книги».

— Я готов. Я поеду туда, где находится Эстер, однако мне нужны некоторые сведения, потому что я совсем не знаю вашу страну.

— Я поеду с вами.

— Что?

Это не входило в мои планы. Моя поездка должна была стать возвращением к тому, что я утратил в самом себе; это дело личное, интимное, и свидетели тут без надобности.

— В том случае, разумеется, если вы купите мне билет. Мне нужно побывать в Казахстане, я соскучился по родным краям.

— Но ведь вы работаете, не так ли? Каждый четверг у вас выступление в ресторане?

— Вы так упорно называете это «выступлением». А я ведь вам говорил, что речь идет скорее о встрече, о попытке воскресить утраченное искусство беседы. Но дело не в этом. Анастасия — он показал на девушку с колечком в носу — развила свое дарование. Она сумеет заменить меня.

— Ревнует, — сказала Альма, которая на сцене держала в руках инструмент, похожий на бронзовый поднос, а в конце «встречи» рассказывала истории.

— Еще бы ему не ревновать, — заметил юноша, с ног до головы одетый в кожу, покрытую металлическими заклепками, украшенную английскими булавками и лезвиями безопасной бритвы. — Михаил моложе, красивей и теснее связан с Энергией.

— Михаил не так знаменит, не так богат и совсем не так тесно связан с теми, кто рулит, — ответила Анастасия. — С точки зрения женщины шансы у них равны.

Все рассмеялись, и бутылка вновь пошла по кругу. Я был единственным, кто не видел тут ничего смешного. Кроме того, я сам себе удивлялся: уже много лет не сидел я прямо на тротуаре парижской улицы — и ничего.

— Судя по всему, племя многочисленней, чем вы думаете. Оно распространилось от Эйфелевой башни до города Тарба, где я недавно был. Правда, я не вполне понимаю, что происходит.

— Гарантирую, что его можно встретить за тридевять земель от Тарба, а ходит оно по таким интересным маршрутам, как Путь Сантьяго. Оно отправляется куда-нибудь во Францию или в Европу, думая, что составляет общество за пределами общества. Они боятся вернуться домой, поступить на службу, жениться — и будут сопротивляться этому как можно дольше. Среди них есть богатые, есть бедные, но деньги для них роли не играют и ничего не решают. Они совершенно другие, и все же люди делают вид, будто не замечают их, хотя на самом деле боятся.

— А без этой агрессивности — нельзя?

— Никак нельзя. Страсть к разрушению — это созидательная страсть. Если бы они не были агрессивны, бутики заполнились бы такой вот одеждой, издательства открыли бы журналы, специализирующиеся на новом направлении, на телевидении появились бы программы, посвященные «племени», социологи и психологи начали бы публиковать исследования — и все потеряло бы свою силу. Чем меньше знают, тем лучше: лучший вид защиты — нападение.

— Я вообще-то пришел всего лишь получить кое-какие сведения — и больше ничего. Быть может, если бы я провел с вами сегодняшнюю ночь, это обогатило бы меня новыми впечатлениями и позволило бы еще дальше отодвинуть личную историю, которая не дает мне эти впечатления получать. Тем не менее я никого не хочу брать с собой. Если я не получу помощи от вас, Михаил, то мой Банк Услуг обеспечит меня всем необходимым. Я уезжаю через два дня. Сегодня вечером у меня важный деловой ужин, но затем — две недели свободы.

Михаил о чем-то размышлял.

— Вам решать — у вас есть карта, вы знаете название городка, и вам нетрудно будет найти, где переночевать. Но, по моему мнению, Банк Услуг поможет вам лишь добраться до Алма-Аты, но не дальше, ибо степь живет по своим правилам. И потом, если не ошибаюсь, и я ведь тоже положил кое-что на ваш счет. Пришло время возвращать кредит — я давно не видел мать и хочу навестить ее.

Он был прав.

— Пора приниматься за работу, — вмешался муж Альмы.

— Зачем вам ехать со мной, Михаил? Неужели только из-за матери?

Но он не ответил. Альма встряхнула свой бронзовый поднос, ее муж выбил дробь на барабане-атабаке, все остальные начали просить милостыню у прохожих. Почему он собрался ехать со мной? И как я смогу воспользоваться Банком Услуг в степях, где никого не знаю? Визу я получу в посольстве Казахстана, машину возьму напрокат, а проводника мне предоставит французское консульство в Алма-Ате. Что еще нужно?

Я стоял, оглядывая «племя» и не очень понимая, что делать. Не время было обсуждать поездку — дома меня ждали работа и возлюбленная: почему бы не распрощаться прямо сейчас?

Почему? Потому что я чувствовал, что свободен. Потому что делал то, чего давно уже не делал, и открыл душу новым впечатлениям, и отстранил от себя *примиритель*, и решил испытать то, что, быть может, и не слишком сильно меня интересовало, однако сильно отличалось от всего прочего в моей жизни.

Водку выпили, и по кругу пошла бутылка рома. Я терпеть не могу ром, но, раз ничего другого нет, пришлось применяться к обстоятельствам. Продолжали звучать барабан и бронзовая «бахрома», и, если кто-то из прохожих неосторожно оказывался вблизи, одна из девушек тут же протягивала руку за подаяньем. Прохожий, как правило, ускорял шаги, но вслед ему все равно раздавалось: «Спасибо, дай вам Бог удачи». Кто-то из них, заметив, что на него не нападают, вернулся и дал денег.

Минут десять понаблюдав за всем этим, причем никто из «племени» ко мне не обращался, я зашел в бар, купил две бутылки водки, а ром выбросил в урну. Анастасии, кажется, понравилось это, и я попытался завязать с ней разговор.

— Объясните мне, зачем вы носите это? — я показал на колечко в носу.

— Почему в вашем кругу дамы носят драгоценности? Ходят на высоких каблуках? Надевают декольтированные платья даже зимой?

— Это не ответ.

— Я сделала себе пирсинг, потому что мы — новые варвары, захватившие Рим: военной формы у нас нет, а отличать своих как-то ведь надо.

Это звучало так, словно мы с ней переживали важнейший исторический момент, но те, кто возвращался домой, видели только бездомных бездельников, заполняющих улицы Парижа и отпугивающих туристов, которые так славно пополняют городской бюджет. «Бедные матери, — думали прохожие, — с ума, наверно, сходят: произвели их на свет, а те совсем от рук отбились».

Я сам был таким когда-то в ту пору, когда движение хиппи пыталось показать свою силу — рок-концерты на стадионах, волосы до плеч, разноцветные джинсы, «пацифики», пальцы, растопыренные в виде буквы «V» и означающие «мир и любовь». Все кончилось тем, чего опасается Михаил, — они стали еще одним продуктом потребления, исчезли с лица земли, уничтожили своих идолов.

По улице шел одинокий прохожий. Юноша в коже приблизился к нему, протягивая руку. Он просил подаяния. Вместо того чтобы ускорить шаги и пробурчать что-то вроде «мелких нет», прохожий остановился, оглядел всю компанию и громко произнес:

— У меня долгов — примерно на сто тысяч из-за экономического положения в Европе, дома и непомерных расходов, в которые ввергает меня жена. Иными словами — мне хуже, чем вам, гораздо хуже! Дайте мне хоть одну монетку — уменьшить мой долг.

Лукреция — та девушка, которую Михаил называл своей возлюбленной, — протянула ему кредитку в пятьдесят евро.

— Купите себе немножко икры. Надо же как-то скрасить вашу убогую жизнь.

Прохожий как ни в чем не бывало взял деньги, поблагодарил и удалился. Пятьдесят евро! У этой итальянской девушки в кармане — пятьдесят евро. А они клянчат подаяние!

— Хватит торчать здесь, — сказал юнец в коже.

— А куда мы пойдем? — спросил Михаил.

— Поищем других. Север или юг?

«Запад», — решила Анастасия, которая, как я только что услышал, развивала свой дар.

Мы прошли мимо колокольни собора Сен-Жак, у которого много веков назад собирались паломники, отправляясь в Сантьяго-де-Компостела. Миновали Нотр-Дам, где встретили еще нескольких «новых варваров». Водку допили, и я купил еще две бутылки, хоть и не был уверен, что все мои спутники достигли совершеннолетия. Никто не сказал мне спасибо, восприняв угощение как должное.

Я отметил, что начинаю пьянеть и поглядываю на одну из вновь пришедших девиц с интересом. Все они галдели, пинали мусорные баки и не произносили ничего, решительно ничего интересного.

Мы перешли на другой берег Сены и остановились перед лентой, какими обычно огораживают место будущего строительства. Пришлось сойти на мостовую и вернуться на тротуар метров через пять.

— Не сняли, — сказал парень, присоединившийся к нам недавно.

— Что? — осведомился я.

— А это еще кто?

— Наш друг, — ответила Лукреция. — Ты, наверно, читал какую-нибудь из его книг.

Парень узнал меня, однако не проявил ни удивления, ни восторга — наоборот, спросил, не могу ли я дать ему денег, в чем было ему сейчас же отказано.

— Если хотите знать, зачем здесь эта лента, раскошеливайтесь. Всему на свете — своя цена, и вы это знаете лучше, чем кто-либо еще. А информация — один из самых дорогих продуктов.

Никто не пришел мне на помощь, и мне пришлось уплатить евро за ответ.

— Не сняли ленту. Это мы ее здесь привязали. Видите, здесь не идет никакой стройки — всего лишь дурацкий кусок бело-красного пластика, который запрещает проход по этому дурацкому тротуару. Однако никому и в голову не приходит спросить, зачем он тут: все послушно сходят на мостовую, рискуя попасть под машину, и через несколько шагов вновь поднимаются на тротуар. Кстати, я читал, что с вами случилась неприятность?

— Именно потому, что я шел по проезжей части.

— Ничего, в этих случаях люди удваивают внимание: это и подвигло нас на эту затею с лентой. Пусть знают, что происходит вокруг.

— Ничего подобного, — заметила девушка, которую я счел привлекательной. — Это всего лишь шутка. Придумано, чтобы посмеяться над людьми, которые подчиняются неизвестно чему. Бессмысленно, и не имеет значения, и никто не попадает под машину.

К ватаге присоединились новые члены — теперь их было одиннадцать и две немецкие овчарки. Теперь они уже не просили подаяния, потому что никто не решался приблизиться к банде дикарей, которым доставляло удовольствие пугать людей. Пить было нечего, и все поглядели на меня так, словно поить их входило в мои обязанности, и попросили купить еще водки. Я понял, что это мой «пропуск» в паломничество, и стал искать магазин.

Девушка, на которую я обратил внимание, — она годилась мне в дочери — перехватила мой взгляд и завела со мной разговор. Я знал, что это — всего лишь провокация, однако разговор поддержал. Нет, она ничего не стала рассказывать о себе, а спросила, знаю ли я, сколько котов и столбов изображено на заднем плане десятидолларовой купюры?

— Котов и столбов?

— Видите, вы и не знаете. Вы не придаете значения деньгам. Так вот, там выгравировано четыре кота и одиннадцать столбов света.

Я мысленно пообещал себе, что, как только мне в руки попадет бумажка в десять долларов, я обязательно проверю.

— Наркотики у вас в ходу?

— Бывает, но редко. Спиртное — чаще. Наркотики — не наш стиль. Это — черта вашего поколения, правда ведь? Моя мать, например, законченная наркоманка, только она не колется и не нюхает, а готовит обед для нашей семьи, или исступленно наводит порядок в доме, или волнуется из-за меня. Когда у моего отца что-то не ладится на работе, она переживает из-за него. Можете себе представить? С ума сходит из-за меня, из-за моих братьев, из-за всего на свете! Мне приходится так напрягаться, чтобы делать вид, будто у меня все и всегда распрекрасно, что я предпочитаю уходить из дому.

Ну, вот вам и очередная личная история.

— Разве не то же самое было с вашей женой? — спросил белокурый юноша с колечком на веке. — Она ведь тоже ушла из дому? Ей тоже приходилось притворяться, что все хорошо?

Неужели Эстер и кому-нибудь из этих юнцов дала лоскут гимнастерки в запекшейся крови?

— Она тоже страдала! — расхохоталась Лукреция. — А теперь, насколько нам известно, больше не страдает. Вот это — настоящая отвага!

— А что же здесь делала моя жена?

— Сопровождала монгола, распространявшего очень странные идеи о любви — мы только сейчас начинаем их понимать толком. Расспрашивала. Рассказывала о себе. А в один прекрасный день — прекратила. Заявила, что устала жаловаться. Мы предлагали ей все бросить и присоединиться к нам — мы собирались тогда в Северную Африку. Она поблагодарила, объяснила, что у нее другие планы и что поедет в другую сторону.

— А ты не читал его новую книгу? — спросила его Анастасия.

— Нет, мне не интересно. Говорят, она чересчур романтична. Ну так что, когда ж мы купим зелья?

Прохожие расступались перед нами, словно мы были самураями, ворвавшимися в деревню, бандитами, нагрянувшими в городок на Дальнем Западе, варварами, вторгшимися в Рим. Хотя никто из ватаги никому не угрожал, никого не задевал, агрессивность сквозила во всем их облике — в манере одеваться, в пирсинге, в громких голосах. Они были другими. Мы дошли наконец до винного магазина и, вселяя в меня тревогу и смущение, вломились туда всей толпой и принялись шарить на полках.

Кого из них я знал? — Одного Михаила: да и то — можно ли было поручиться, что он рассказал мне правду о себе? А если они что-нибудь стащат? А если у кого-то из них припрятано оружие? Я ведь вошел вместе с ними — не придется ли, как самому старшему, отвечать за них?

Кассир беспрестанно поглядывал в зеркало, помещенное на потолке небольшого торгового зала. Мои спутники, видя его озабоченность, вели себя буйно. Атмосфера сгущалась. Я быстро купил три бутылки водки и поспешил к выходу.

Женщина, расплачивавшаяся за пачку сигарет, заметила, что и в ее времена бывали в Париже богемные артисты и художники, однако не носились по нему банды юнцов, угрожая всем и каждому. А потом посоветовала кассиру вызвать полицию.

— Я уверена, что вот-вот случится что-нибудь нехорошее, — добавила она вполголоса.

Кассир был явно перепуган этим нашествием на свой маленький мир, выстроенный ценой многих усилий и лише-

ний, — на свой магазинчик, где, должно быть, утром об-
служивал покупателей сын, днем — жена, а сам он — по
вечерам. Он сделал покупательнице знак, и я понял, что
полицию он уже вызвал.

Я ненавижу соваться не в свое дело и лезть, куда не
просят. Но трусость проявлять не люблю — каждый раз,
как это случается, я на неделю теряю самоуважение.

— Не беспокойтесь...

Но было уже поздно.

Появились двое полицейских, но ватага людей, одетых
как инопланетяне, не обратила на них никакого внимания,
ибо привыкла дразнить блюстителей существующего порядка. Все это они уже проделывали много раз. И знали,
что не совершили никакого преступления — ну, разве что
не соблюдали законов моды, но ведь мода — штука пере-
менчивая. Думаю, что им все же стало не по себе, но они
никак этого не показали и продолжали вопить на весь магазин.

— Однажды я услышала от одного комедианта: «Все
дураки должны записать в свое удостоверение личности,
что они — дураки», — сказала Анастасия, обращаясь ко
всем сразу. — И тогда сразу будет понятно, с кем имеешь
дело.

— Дураки и в самом деле представляют собой опасность для общества, — ответила девушка с ангельской на-
ружностью и в костюме вампира — та самая, что просве-
щала меня насчет десятидолларовых купюр. — Раз в год
они должны проходить проверку и получать лицензию на
право ходить по улицам, как автомобилисты получают права.

Полицейские, которые были ненамного старше представителей «племени», промолчали.

— Знаете, чего бы мне хотелось? — услышал я голос Михаила, который был скрыт от меня полками. — Поменять местами ярлыки на всех этих упаковках. Люди бы тогда растерялись вконец: не знали бы, в каком виде употреблять — варить или жарить, охлаждать или разогревать. Ведь теперь, если не прочтешь инструкцию, не приготовишь себе поесть — инстинкт утрачен.

До сих пор все изъяснялись на чистейшем французском языке, и услышав, что Михаил говорит с акцентом, полицейские насторожились.

— Предъявите документы, — сказал один из них.

— Он со мной.

Слова эти вырвались у меня будто сами собой, хоть я и сознавал, что это может сулить новый скандал. Полицейский перевел взгляд на меня:

— Я не к вам обращаюсь. Но раз уж вы вмешались и пришли сюда с этой группой, то, надеюсь, сумеете удостоверить свою личность. И объяснить, на каком основании покупаете водку людям, которые вдвое моложе вас.

Я бы мог сослаться на то, что нигде не сказано о необходимости повсюду носить с собой документы. Но подумал, а есть ли у Михаила, рядом с которым уже стоял второй полицейский, вид на жительство? Что вообще я знаю о нем, помимо историй про «голос» и эпилепсию? И что будет, если напряженная ситуация спровоцирует очередной припадок?

Я достал из кармана автомобильные права.

— Так вы...

— Он самый.

— Я вас узнал. Читал одну из ваших книг. Но это еще не повод нарушать закон.

Услыхав, что передо мной — мой читатель, я растерялся вконец. Вот он стоит — молодой, бритоголовый парень в униформе — пусть и совсем другой, нежели та, которую носят мои спутники, чтобы узнавать своих. Может быть, и он когда-то мечтал обрести свободу быть не таким, как все, поступать не так, как все, бросать вызов властям — но тонко, почти незаметно, не давая формального повода загрести себя в каталажку. Однако, должно быть, отец не оставил ему выбора, должно быть, есть семья, которую надо поддерживать, или по крайней мере — боязнь шагнуть за грань хорошо знакомого мира.

— Я не нарушал закон, — ответил я как можно более миролюбиво. — Ни я, и ни кто другой. Ну, разве что кассиру или вот этой даме, покупавшей сигареты, захотелось пожаловаться на что-нибудь.

Но когда я обернулся, дамы, говорившей о богеме, дамы, предрекавшей трагедию, которая должна вот-вот случиться, дамы, без сомнения добропорядочной, уже не было. Можно не сомневаться, что завтра она расскажет соседкам о том, как благодаря ей была пресечена попытка ограбления.

— У меня претензий нет, — заявил кассир, угодив в ловушку современного мира, где можно вопить и горланить, но при этом не нарушать закон.

— Это ваша водка?

Я кивнул. Полицейские видели, что мои спутники пьяны, но не желали раздувать дело в ситуации, ни для кого не представлявшей угрозы.

— Мир без дураков станет хаосом! — раздался голос юнца в коже. — Вместо безработных появится избыток рабочих мест, а работать будет некому!

— Ну, хватит!

Это прозвучало у меня с неожиданной властностью и решительностью.

— Помолчите, вы все!

И, к моему удивлению, воцарилась тишина. Внутренне кипя от негодования, я продолжал разговаривать с полицейскими так, словно не было никого на свете спокойней меня.

— Если бы они представляли опасность, то не нарывались бы.

Полицейский обернулся к хозяину:

— Если понадобимся, мы здесь, поблизости.

А прежде чем выйти на улицу, сказал, обращаясь к своему напарнику, но так, что голос его раздался на весь магазин:

— Обожаю дураков: если бы не они, мы сейчас могли бы столкнуться с бандой налетчиков.

— Ты прав, — ответил тот. — Дураки развлекают нас, а опасности не представляют.

Оба козырнули и удалились.

При выходе из магазина я умудрился уронить бутылки. Одна, впрочем, как-то уцелела и сейчас же пошла вкруговую. По тому, как пили мои спутники, я понял, что они тоже испугались — и не меньше, чем я. Вся разница была в том, что, почувствовав опасность, они бросились в атаку.

— Мне чего-то не по себе, — сказал Михаил одному из них. — Пошли отсюда.

Я не знал, что значат эти слова: разойтись по домам? Разъехаться по своим городам? Или каждый вернется под свой мост? Никто не спросил меня, уйду ли я «отсюда», так что я по-прежнему сопровождал их. Меня встревожила фраза насчет того, что «не по себе», — мы ведь еще не успели поговорить о поездке в Центральную Азию. Может, стоило бы откланяться? Или следует идти до конца и своими глазами увидеть, куда уйдут они «отсюда»? Еще я отметил про себя, что мне не скучно и что я был бы не прочь соблазнить девушку в обличье вампира.

Ну так в чем же дело? Вперед!

И при первом же намеке на опасность — назад.

Покуда мы шли неведомо куда, я размышлял. Стало быть, племя. Символическое возвращение в те времена, когда люди кочевали, сбивались в стаи, защищая друг друга, и выживание их почти от них не зависело. Итак, это племя, находясь внутри другого племени, более многочисленного, настроенного враждебно и называющегося «общество», бродит по его территории и наводит на него страх, постоянно дразня и провоцируя. Кучка людей объединилась в идеальное общество, о котором я ничего не знаю — разве что вижу пирсинг и причудливую одежду. Каковы их ценности? Что они думают о жизни? Как зарабатывают деньги? Мечтают ли они о чем-нибудь или просто бродят по свету? Все это интересовало меня куда сильней, чем ужин, который был назначен на завтра и о котором я знал решительно все. Может быть, благодаря выпитому я чувствовал себя свободно, прошлое не тяготило меня — оставалось лишь вот это конкретное мгновение, безотчетный импульс... И *Заир* исчез.

Заир?

Да, исчез, но теперь я сознавал, что *Заир* — это нечто большее, нежели человек, ослепленный некой целью, будь то одна из тысячи колонн в Кордовской мечети (как в рассказе Борхеса) или женщина в Центральной Азии (как случилось со мной два ужасных года назад). *Заир* накрепко привязывает нас ко всему, что происходит из поколения в поколение, не оставляет ни единого вопроса без ответа, заполняет собой все пространство, не допускает, чтобы мы хотя бы помыслили о возможности перемен.

Всемогущий и всесильный *Заир* рождается вместе с каждым представителем рода человеческого, набирает силу в детстве, навязывает свои правила и законы, которые становятся непререкаемыми:

Непохожие на нас люди — опасны, они претендуют на наши земли и наших женщин.

Мы должны обзаводиться семьями, рожать детей, воспроизводить потомство.

Любовь так мала, что ее едва хватает на одного человека и — ну вы подумайте! — любая попытка сказать, что сердце — больше, считается запретной.

Вступая в брак, мы обретаем права на обладание плотью и душой другого человека.

Надо работать, даже если работа вызывает у тебя омерзение, потому что мы — часть организованного общества, а если каждый будет делать, что ему заблагорассудится, мир рухнет.

Надо покупать драгоценности — они указывают на нашу принадлежность к определенному племени, подобно тому как пирсинг — на принадлежность к другому.

Надо быть остроумным и с иронией относиться к тем, кто выражает какие бы то ни было чувства: для племени опасно, если один из его членов не скрывает то, что у него на душе.

Надо изо всех сил избегать слова «нет», потому что больше любят людей, говорящих «да», — и это позволяет нам выжить на вражеской территории.

Надо помнить: то, что подумают другие, важнее чувств, которые испытываем мы.

Никогда не устраивай скандалов — привлечешь внимание враждебного племени.

Будешь вести себя не как все — будешь изгнан из племени, потому что ты можешь заразить других и тем самым внести разлад в то, что налаживалось с таким трудом.

Всегда надо думать о том, как получше обставить свою пещеру: если сам не знаешь — позови дизайнера по интерьерам, и уж он позаботится о том, чтобы все оценили твой изысканный вкус.

Надо есть трижды в день, даже если не испытываешь голода; надо поститься, если твоя фигура нарушает общепринятые стандарты, — пусть ты и умираешь от голода.

Надо одеваться так, как предписывают журналы мод, заниматься любовью с охотой или без, убивать во имя неприкосновенности границ, мечтать, чтобы время до пенсии прошло поскорее, ходить на выборы, жаловаться на дороговизну, менять прическу, злословить по адресу тех, кто непохож на нас, ходить в церковь по воскресеньям, или по субботам, или по пятницам, смотря по тому, какую веру ты исповедуешь, и там просить у Бога прощения за грехи и надуваться гордостью оттого, что ты знаешь истину, и презирать соседнее племя, поклоняющееся ложным богам.

Дети должны идти по нашим стопам — мы старше и лучше знаем жизнь.

Надо иметь университетский диплом, даже если никогда не устроишься на работу по специальности, которую тебе навязали.

Надо изучать предметы, которые тебе никогда не понадобятся, только потому, что кто-то счел, что алгебра, тригонометрия, кодекс Хаммурапи — важны.

Нельзя огорчать родителей, потому что это значит отречься от всего, что дарует нам удовлетворение.

Музыку слушать негромко, говорить вполголоса, плакать тайком, ибо аз есмь *Заир Всемогущий*, определяющий правила игры, ширину железнодорожной колеи, суть понятия «успех», то, как надо любить, и важность возмещения убытков.

$\mathcal{M}$ы забрели в фешенебельный квартал и остановились перед довольно шикарным зданием. Кто-то набрал код на входной двери, и мы поднялись на третий этаж. Я ожидал встретить там снисходительных родителей одного из членов стаи — терпимо относящихся к его времяпрепровождению, раз уж он — при них и все под контролем. Но в квартире — она принадлежала Лукреции — было темно. Лишь потом, приглядевшись, я увидел большую и совершенно пустую комнату с камином, который, судя по всему, не разжигали уже многие годы.

Юноша двухметрового роста, носивший длинный габардиновый плащ и смастеривший из своих белокурых волос прическу, подобную той, какую носили индейцы племени сиу, вышел на кухню и вернулся с зажженными свечами. Все кружком уселись на полу, и в первый раз за весь вечер мне стало страшно — показалось, что сейчас будет разыгран эпизод из фильма ужасов: начнется какой-то сатанинский ритуал, жертвой которого станет беспечный, ни о чем не подозревающий чужак.

Михаил был бледен, глаза его блуждали — и от этого беспокойство мое усилилось. Было похоже, что у него вот-вот начнется припадок — а знают ли все эти люди, как следует вести себя в подобной ситуации? Не уйти ли мне, пока не случилось что-нибудь непоправимое?

Что ж, это было бы самое мудрое решение, вполне согласующееся с тем миром, где я был знаменитым писателем, который толкует о духовности и, стало быть, обязан подавать другим пример. Да, если бы я был разумен, то научил бы Лукрецию в начале приступа чем-нибудь прижать язык Михаилу, чтобы он не задохнулся. Ясно, что она и без меня знает это, но в мире последователей *Заира* нет места случайностям, ибо мы должны быть в ладу со своей совестью.

И я бы поступил так, если бы недавно не попал под мотоцикл. Однако теперь моя личная история утратила свою значительность. Она перестала быть историей и снова сделалась легендой, приключением, путешествием вовнутрь и за пределы моего естества. Я снова очутился во времени, когда все вокруг меня преображалось, и хотел, чтобы так продолжалось до конца дней моих (я вспомнил о том, какая надпись должна была красоваться на моем надгробье: «Смерть застала его в живых»). Я тащил с собой былой опыт, который помогал мне реагировать стремительно и точно, но ведь я не занимался тем, что перебирал в памяти уроки прошлого. Не станет же воин в разгар сражения замирать с занесенным мечом в руке, решая, какой удар нанести?! Его убьют в мгновение ока.

И воин, обитавший во мне, решил, не тратя времени на раздумья, что надо остаться. Надо продолжить эксперимент сегодняшнего вечера, хотя и было уже поздно, хотя я был нетрезв и утомлен, и боялся, что Мари будет недоумевать, тревожиться или сердиться. Я сел рядом с Михаилом, приготовясь в случае чего действовать без промедления.

И заметил, что он может управлять своими припадками! Вскоре он успокоился, и глаза, перестав блуждать, приняли прежнее выражение — то самое, какое появлялось в них, когда он, одетый в белое, выходил на сцену в ресторане.

— Начнем, как всегда, с молитвы, — сказал он.

И все, кто находился в комнате, — все эти агрессивные, пьяные маргиналы закрыли глаза, взялись за руки. Даже две немецкие овчарки притихли в углу.

— Госпожа, когда я гляжу на машины, на витрины, на людей, что не смотрят ни на кого, на здания и на памятники, я замечаю в них Твое отсутствие. Сделай так, чтобы мы могли вернуть Тебя.

Все продолжили хором:

— Госпожа, мы узнаем Твое присутствие в испытаниях, через которые проходим. Помоги нам не дрогнуть. Дай нам вспоминать Тебя со спокойной решимостью даже в те минуты, когда бывает трудно допустить, что мы любим Тебя.

Я заметил, что у каждого где-нибудь на одежде был один и тот же символ:

Он мог быть брошкой, металлическим украшением, вышивкой или просто рисунком, сделанным на ткани обыкновенной ручкой.

— Хочу посвятить эту ночь тому, кто сидит по правую руку от меня. Он сел рядом, потому что хочет защитить меня.

Как он догадался?

— Это хороший человек: он понял, что любовь преображает, и позволил ей преобразить себя. Он все еще несет в душе тяжкое бремя личной истории, но все же пытается освободиться от него и потому находится среди нас. Он — муж той всем нам известной женщины, которая оставила мне на память о себе и как талисман вот эту реликвию. — Михаил достал из кармана лоскуток с запекшейся на нем кровью. — Мы никогда не узнаем, какой солдат носил эту форму. Перед смертью он попросил эту женщину: «Разорви ее и раздай по лоскутку каждому, кто верит в смерть и потому способен жить так, словно каждый день — последний. Скажи им, что я только что увидел Смерть в лицо — пусть они не боятся ее, но и не пренебрегают ею. Пусть ищут единственную истину — Любовь. Пусть живут в согласии с ее законами».

Все с почтением взирали на окровавленную тряпицу.

— Мы родились в эпоху мятежа. Мы с воодушевлением посвятили себя ему, мы рисковали жизнью и молодостью — и вдруг испугались: первоначальная радость стала сменяться усталостью, монотонностью, сомнениями в собственных силах и способностях, то есть *не сумели достойно ответить на тот вызов, что бросает нам жизнь.* Кое-кто из нас уже сдался. Нам пришлось столкнуться с одиночеством, пережить крутые и неожиданные повороты, мы падали и, увидев, что никто не спешит нам на помощь, стали спрашивать себя: «А не бесполезны ли все усилия? А стоит ли продолжать?»

Михаил помолчал.

— Стоит! И мы будем продолжать, хоть и знаем, что наша душа — да, она бессмертна! — бьется в паутине времени со всеми ее возможностями и ограничениями. Покуда хватит сил, мы будем высвобождаться из этой паутины. А когда иссякнут силы и мы вернемся к истории, «которую нам рассказывают», то все равно будем вспоминать наши прежние битвы и готовиться к новым. Мы вступим в них, когда условия будут более благоприятными. Аминь.

— Аминь, — отозвались остальные.

— Я должен поговорить с Госпожой, — сказал юноша с «ирокезом».

— Не сегодня. Я устал.

Раздался разочарованный ропот: в отличие от посетителей армянского ресторана эти люди знали историю Михаила, о голосе и о «присутствии». Однако он поднялся и вышел на кухню. Я последовал за ним.

Я спросил, как им удалось раздобыть эту квартиру. Он объяснил мне, что по французским законам любой гражданин имеет право легально пользоваться недвижимостью, которой не пользуется ее владелец. Иными словами, они — «скваттеры».

Мысль о том, что меня ждет Мари, не давала мне покоя. Михаил взял меня за руку.

— Вы сказали сегодня, что уедете в степь. Еще раз прошу вас — возьмите меня с собой. Я должен побывать на родине, пусть хоть ненадолго, но у меня нет денег. Я стосковался по моему народу, я хочу повидать мать, друзей. Я мог бы сказать вам, что знаю от Голоса, что понадоблюсь вам, но это будет неправдой: вы найдете Эстер сами, и ничья помощь вам будет не нужна. Просто мне нужно подзарядиться энергией отчизны.

— Я могу дать вам денег на билет туда и обратно.

— Знаю. Но мне бы хотелось отправиться туда вместе с вами, вместе приехать в городок, где живет Эстер, ощутить на лице прикосновение степного ветра, помочь вам пройти путь, ведущий к женщине, которая любит. Она сыграла — и продолжает играть — очень важную роль в моей жизни. Наблюдая за происходящими в ней переменами, видя ее решимость, я многому научился да и продолжаю учиться. Помните, я говорил о «неоконченных историях»? Мне хотелось бы оставаться с вами рядом до тех пор, пока перед нами не предстанет ее дом. Только тогда я смог бы считать, что этот период ее — моей — жизни завершен. Как только мы увидим дом, я оставлю вас одного.

Не зная, что ему ответить, я решил заговорить о другом и спросил, что же за люди сидят сейчас кружком в соседней комнате?

— Люди, которые боятся, что их постигнет та же участь, что и ваше поколение — поколение людей, мечтавших преобразить мир, но в конце концов сдавшихся на милость «действительности». Мы притворяемся сильными, потому что слабы. Нас еще мало, очень мало, но я надеюсь, что так будет не всегда — люди не могут обманываться бесконечно. Так что же вы мне ответите?

— Михаил, вы знаете, что я всеми силами души стремлюсь освободиться от моей «личной истории». Еще совсем недавно я считал бы, что куда удобней и легче совершить эту поездку с вами — с человеком, знающим и регион, и местные обычаи, и возможные опасности. Но теперь я знаю, что должен в одиночку размотать нить Ариадны и выйти из лабиринта, в который попал. Моя жизнь изменилась, мне кажется, я помолодел на десять, а то и на двадцать лет — и этого достаточно, чтобы отправиться на поиски приключения.

— И когда же вы намерены отправиться?

— Как только получу визу. Через два-три дня.

— Да пребудет с вами Госпожа. *Голос* говорит мне, что время пришло. Если передумаете, дайте знать.

«Новые варвары» разлеглись на полу, собираясь поспать. По дороге домой я размышлял о том, что жизнь человека моего возраста оказалась куда веселей, чем я представлял: всегда можно вновь стать молодым и безумным. Я был так погружен в свои мысли, что не сразу заметил, а заметив — удивился, что прохожие не уступают мне дорогу, не отводят глаза, боясь повстречаться со мной взглядом. Никто вообще не обращал на меня внимания, и мне это нравилось, и город вновь стал прежним — и можно было понять короля Генриха IV, который, когда его бранили за то, что он изменил своей вере и женился на католичке, ответил: «Париж стоит обедни».

Париж стоит гораздо большего. Перед моим мысленным взором предстали религиозные бойни, кровавые ритуалы, короли и королевы, музеи, замки, художники, которые страдали, писатели, которые напивались, философы, которые кончали с собой, военные, которые замышляли покорить весь мир, предатели, которые одним движением руки свергали династию, истории, которые позабылись, а теперь опять воскресли в памяти — и рассказываются на новый лад.

$\mathcal{B}$первые за очень долгое время я, переступив порог моего дома, не присел к компьютеру проверить почту и срочно послать ответ. Ничего срочного. Я даже не пошел убедиться, что Мари спит, ибо знал, что она лишь притворяется спящей.

Я не включил телевизор посмотреть ночные новости, потому что новости эти я знал с детства: одна страна угрожает другой, кто-то кого-то предал, экономика переживает упадок, Израиль и Палестина за протекшие пятьдесят лет так и не пришли к соглашению, еще один взрыв, еще один ураган оставил тысячи людей без крова.

Я вспомнил, как утром, поскольку террористических актов не случилось, в виде главной новости преподносили переворот на Гаити. Какое мне дело до Гаити?! Какое отношение это имеет ко мне, к моей жене, к ценам на хлеб в Париже, к племени Михаила? Как можно истратить пять драгоценных минут жизни на то, чтобы слушать о мятежниках и президенте, смотреть на уличные манифестации, репортажи о которых крутят бессчетное количество раз и преподносят как важнейшее событие в истории человечества. Переворот на Гаити! И я верил! И досматривал до конца! Нет, в самом деле, дуракам следует выдавать особые удостоверения личности, поскольку именно дураки поддерживают коллективную глупость.

Я открыл окно, впустив в комнату ледяной ночной воздух, разделся, убеждая себя, что смогу вытерпеть стужу, и некоторое время стоял, ни о чем не думая, чувствуя лишь, что мои ноги попирают пол, глаза устремлены на Эйфелеву башню, уши слышат собачий лай, завывание сирен, человеческую речь, в которой, впрочем, не мог разобрать ни слова.

Я не был в эти мгновения самим собой — и никем другим. И это было прекрасно.

— *Т*ы сегодня какая-то странная.

— То есть?

— Грустная.

— Да нет, я не грустная. Все хорошо.

— Сама знаешь, что говоришь неправду: ты грустишь из-за меня, но не решаешься сказать.

— С чего бы мне грустить?

— С того, что я пришел вчера поздно и пьяным. Ты даже не спросила, где я был.

— А мне не интересно.

— Как это «не интересно»? Разве я не сказал вчера, что собираюсь встретиться с Михаилом?

— И встретился?

— Встретился.

— Тогда о чем же я должна была тебя спросить?

— А тебе не кажется, что, когда человек, которого, по твоим словам, ты любишь, возвращается далеко за полночь, следует хотя бы поинтересоваться, что случилось?

— А что случилось?

— Ничего. Я проводил время с ним и его друзьями.

— Вот и славно.

— Ты не веришь в это?

— Разумеется, верю.

— Похоже, ты меня разлюбила. Ты не ревнуешь. Тебе все безразлично. Это что же, нормально — являться домой в два часа ночи?

304

— Не ты ли столько раз уверял, что ты — свободный человек?

— Конечно, свободный.

— Значит, возвращение в два часа ночи — нормально. Если бы я была твоей матерью, то, наверное, забеспокоилась бы, но ты — взрослый мужчина, не так ли? Мужчинам не стоит вести себя так, чтобы женщины относились к ним как к детям.

— Да я не об этом говорю, а о ревности.

— Тебе хотелось бы, чтобы я устроила за утренним кофе сцену ревности?

— Нет, пожалуйста, не надо — соседи услышат.

— До соседей мне дела нет: я не стану скандалить потому, что совершенно не хочу. Мне было нелегко, но в конце концов я усвоила то, что ты сказал мне в Загребе, и теперь пытаюсь привыкнуть к этому. Но если тебе это доставит удовольствие, я могу изобразить, что ревную, злюсь, схожу с ума от беспокойства.

— Какая ты странная... Я начинаю думать, что ничего не значу для тебя.

— А я начинаю думать, что ты забыл — в соседней комнате тебя ждет журналист, и наш разговор его не касается.

$\mathcal{A}$х да, журналист. Надо включить автопилот, потому что я наперед знаю, какие вопросы он задаст. Знаю, с чего начнется интервью («Хотелось бы поговорить о вашей новой книге... каков ее главный посыл?»), знаю, что отвечу («Если б я хотел ограничиться посылом, то написал бы не книгу, а одну фразу»).

Знаю, он спросит, как я отношусь к критике, которая обычно со мной не церемонится. Знаю, каким вопросом он завершит беседу («А вы пишете что-нибудь новое? Каковы ваши творческие планы?») и что я ему на это отвечу («Пока это — секрет»).

И начало не сулит неожиданностей:

— Хотелось бы поговорить о вашей новой книге... Каков ее главный посыл?

— Если б я хотел ограничиться посылом, то написал бы одну фразу.

— А почему вы пишете?

— Потому что я открыл способ поделиться с другими чувствами, которые испытываю.

Произнесено тоже на автопилоте, но тут я останавливаюсь и поправляю себя:

— Впрочем, эту историю можно рассказать и по-другому.

— По-другому? Вы хотите сказать, что не удовлетворены «Временем раздирать...»?

306

— Книгой — удовлетворен вполне, а своим ответом — нет. Почему я пишу, спрашиваете вы? Правдивый ответ должен звучать так: «Я пишу, потому что хочу быть любимым».

Журналист глядит на меня с подозрением: что это еще, мол, за душевные излияния?

— Я пишу, потому что в детстве не умел играть в футбол, у меня не было машины, мне давали мало денег на карманные расходы и я был плохо развит физически.

Чтобы продолжать, мне приходится сделать над собой неимоверное усилие. Разговор с Мари напомнил мне о прошлом, в котором больше не было смысла. Теперь надо рассказать мою личную историю — и освободиться от нее.

— Я был немодно одет. И девочки поэтому не обращали на меня внимания, как я ни старался. И по вечерам, когда мои одноклассники проводили время со своими подружками, я создавал свой мир, — мир, в котором я могу быть счастливым. И спутниками моими были писатели и их книги. В один прекрасный день я сочинил стихотворение, посвященное девочке, жившей на нашей улице. Мой приятель нашел его у меня на столе, украл и прочел перед всем классом. Все смеялись, все считали, что быть влюбленным — нелепо.

Только та, кому были написаны эти стихи, не смеялась. Назавтра, когда мы пошли в театр, она исхитрилась оказаться в соседнем кресле и сжала мою руку. И мы вышли из театра, взявшись за руки, — я, уверенный в том, что хил, уродлив, плохо одет, и девочка, считавшаяся самой красивой в классе.

Я замолчал, переносясь в прошлое, заново переживая то мгновенье, когда ее рука прикоснулась к моей, и жизнь преобразилась.

— И все это — благодаря стихам. Они объяснили мне, что, когда пишешь, раскрывая неведомый, невидимый мир, ты можешь на равных соперничать с миром своих сверстников — с физической силой, модной одеждой, машинами, спортивными успехами.

Журналист был явно удивлен. Я, впрочем, тоже. Овладев собой, он продолжал:

— Как вы считаете, почему критика так сурова к вам?

Автопилот в тот же миг подсказал бы мне ответ: «Не подумайте, что я сравниваю себя с гениями прошлых времен, но стоит лишь прочесть биографию любого классика, чтобы увидеть, как неумолима и беспощадна была по отношению к нему критика. Причина этого проста: критики крайне не уверены в себе, не понимают толком, что происходит, они — демократы, когда рассуждают о политике, но едва лишь речь заходит о культуре, оказываются фашистами. Они считают, что правителей народ себе выбирать может, а фильмы, книги, музыку — не вправе».

— Вам не приходилось слышать о «законе Янта»?

Готово дело. Я снова отключил автопилот, хоть и знал, что журналист едва ли опубликует мой ответ.

— Нет, первый раз слышу.

— Этот закон появился тогда же, когда и наша цивилизация, однако официально провозглашен был лишь в 1933 году одним датским драматургом. В маленьком городке Янте создали десять заповедей, предписывающих, как люди должны вести себя. Судя по всему, это справедливо не только для Янта, но и для всего мира. Если попытаться свести его суть к одной формуле, она будет звучать так: «Посредственность и безликость суть наилучший выбор. Будешь придерживаться его — сумеешь прожить жизнь без особых проблем. А попытаешься поступить иначе...»

— Мне бы хотелось знать эти заповеди, — журналист искренне заинтересован.

— Здесь их у меня нет, но я сделаю нечто вроде резюме.

Подойдя к компьютеру, я набрал и распечатал такой текст:

Ты — никто и не смеешь думать, что знаешь больше нас. Ты не представляешь собой ни малейшей ценности, ты ничего толком не умеешь, твой труд не имеет никакого значения, но, если ты будешь покорен и тих, мы позволим тебе жить счастливо. Отнесись всерьез к тому, что мы говорим, и никогда не смейся над нашими воззрениями.

Журналист сложил листок и спрятал его в карман.

— Все верно. Если ты — ничтожество, если твоя работа не находит отзвука, стало быть, она достойна похвал. А тот, кто перестал быть посредственностью, кто добился успеха, кто бросает вызов закону, заслуживает кары.

Как хорошо, что он своим умом дошел до этого вывода.

— Речь не только о критиках, — договорил я. — Но и обо многих-многих других. Их больше, чем вы думаете.

Днем я позвонил Михаилу:

— Мы едем вместе.

Он не выразил удивления, а поблагодарил и спросил, что же заставило меня переменить решение.

— На протяжении двух лет моя жизнь сводилась к *Заиру* и *Заиром* исчерпывалась. После того как мы с вами встретились, я двинулся по дороге, которую уже успел позабыть, — по заброшенной железнодорожной колее, где между шпалами пробилась трава, однако по ней еще могут ходить поезда. Я еще не прибыл на конечную станцию и потому не знаю, как остановиться.

Михаил спросил, удалось ли получить визу, и я объяснил, что Банк Услуг активно вмешивается в мою жизнь: один из моих русских друзей позвонил своей приятельнице, издательнице нескольких журналов в Казахстане. Та связалась с послом, и до конца дня все должно быть готово.

— И когда же мы отправляемся?

— Завтра. Мне только нужно знать ваше настоящее имя, чтобы заказать билеты — представитель агентства ждет на другой линии.

— Прежде чем дать отбой, хочу сказать вам вот что: мне понравился ваш пример насчет расстояния между рельсами и ваше сравнение с заброшенной железнодорожной колеей. Но не думаю, что вы приглашаете меня из-за этого. Скорее, дело тут в написанном вами тексте, который я знаю наизусть — Эстер часто повторяла его, — и это гораздо более романтично, нежели рассуждения о Банке Услуг:

«Воин света помнит добро.

В битве ему помогают ангелы; силы небесные ставят все на свои места и позволяют дать лучшее из того, что у него есть.

«Как ему везет!» — говорят его товарищи. И воину порой удается такое, что превыше сил человеческих.

И потому, на восходе солнца, он преклоняет колени и благодарит за Благодетельный Покров, осеняющий его.

Но благодарность воителя не ограничивается лишь духовной сферой; он никогда не забывает друзей, ибо они вместе проливали кровь на поле битвы»[*].

— Я не всегда помню написанное мной, но мне приятно. До свиданья, мне надо сообщить ваше имя в агентство.

---

[*] Цит. по: *Пауло Коэльо.* Книга воина света. «София», Киев, 2002.

Прошло двадцать минут, прежде чем диспетчер такси снял трубку и неприязненно сообщил, что следует подождать еще полчаса. Мари вроде бы весела, ей очень идет пышное и чувственное черное платье, и мне вспоминается, как один из посетителей армянского ресторана рассказывал, что вожделение, которое испытывают к его жене другие мужчины, возбуждает его. Я знаю, что на званом вечере все женщины будут одеты так, чтобы подчеркнуть свои прелести, а их мужья и любовники, видя, что их избранницы желанны, будут думать: «Наслаждайтесь на расстоянии, потому что все это принадлежит мне, я — лучший, я владею тем, о чем вы мечтаете».

Я иду на этот вечер просто так: не буду подписывать никаких контрактов, не буду давать интервью — просто выполню ритуал, погашу ссуду, выданную мне Банком Услуг, сидя во время ужина рядом с каким-нибудь занудой, который спросит меня, откуда я черпаю вдохновение для моих книг. А с другой стороны, может появиться выставленный напоказ бюст, принадлежащий, скажем, жене какого-нибудь приятеля, и мне придется следить за тем, чтобы не опустить глаза, ибо если я сделаю это хоть на секунду, она непременно расскажет мужу, что я пытался ее обольстить. В ожидании такси составляю список возможных тем.

А. Разговоры о внешности: «Как вы элегантны», «Как вам идет ваше платье», «Как вы замечательно выглядите».

А по возвращении домой будут говорить, что одеты все были отвратительно и выглядели ужасно.

Б. О путешествиях: «Вы непременно должны побывать в Арубе, это просто фантастика», «Нет ничего лучше летней ночи в Канкуне, когда сидишь с бокалом мартини на берегу моря». На самом деле никто особенно не развлекался, всего лишь получили на несколько дней ощущение свободы, а не восхищаться нельзя, потому что деньги потрачены.

В. И снова о путешествиях, но на этот раз — о тех местах, которые подлежат критике: «...я был в Рио-де-Жанейро, вы не можете себе представить, какой это ужас», «...о, если бы вы знали, какая нищета царит на улицах Калькутты». А поехали они туда, чтобы почувствовать, что принадлежат к другому миру, и порадоваться за себя по возвращении к своей убогой действительности, где по крайней мере нет нищеты и разгула преступности.

Г. Новые лекарственные средства: «сок пшеничных зерен (грамм на неделю) способствует росту волос...», «я два дня принимала ванны в Биаррице: «спа» открывает поры и выводит токсины...»

Д. Общие знакомые: «...я так давно не видела такого-то, как он поживает?», «я узнала, что такая-то продает свою квартиру, потому что оказалась в затруднительном положении...» Можно мыть косточки тем, кого не позвали на данное торжество, только сначала надо принять невинный вид, а под конец добавить: «...и все-таки это выдающаяся личность».

Е. Скромные жалобы, нечто вроде приправы к основному блюду: «...мне бы так хотелось, чтобы в моей жизни что-нибудь произошло...», «...меня ужасно беспокоят дети: то, что они слушают, похоже на что угодно, только не на музыку, а то, что читают, — не на литературу...» Потом ожидается комментарий от собеседника, сталкивающегося с теми же проблемами, говорящий чувствует, что он — не один в мире, и веселеет.

Ж. На интеллектуальных празднествах вроде того, что предстояло сегодня, мы будем обсуждать войну на Ближнем Востоке, проблемы исламского фундаментализма, новую выставку, модного философа, фантастическую книгу, которую никто толком не знает, музыку, которая сама на себя непохожа; мы будем высказывать свои премудрые, взвешенные суждения, не имеющие ничего общего с тем, что мы думаем на самом деле, ибо мы-то знаем, какого труда стоит заволочь себя на эту выставку, прочесть эту невыносимо-тяготную книгу, посмотреть томительно-скучное кино — и все для того, чтобы было о чем поговорить на таком сборище, как сегодняшнее.

*П*риходит такси, и по дороге я вношу в список еще кое-что очень личное: жалуюсь Мари, что терпеть не могу таких ужинов. Выслушав меня, она отвечает, что к концу их я обычно воодушевляюсь и начинаю даже получать удовольствие. Чистая правда.

И вот мы входим в один из самых шикарных парижских ресторанов, направляемся в зал, где состоится сегодняшнее «мероприятие» — вручение литературной премии (я, кстати, член жюри). Присутствующие стоят, журчит общая беседа, одни здороваются со мной, другие только удостаивают взглядом, переговариваясь между собой. Устроитель вечера подходит ко мне, представляет меня присутствующим, всякий раз произнося раздражающую меня фразу: «ну, этот гость в представлениях не нуждается». Кое-кто улыбается, узнав, кое-кто — улыбкой и ограничивается, хоть и делает вид, будто узнал — ибо в противном случае пришлось бы признать, что мира, в котором он живет, больше не существует, поскольку он не слышал о том, что у всех на слуху.

Вспомнив о «племени», я готов добавить: дураков следует погрузить на корабль и вывезти в открытое море — пусть целый месяц ежевечерне устраивают там званые ужины и приемы и представляют друг другу друг друга: может, хоть тогда запомнят, кто есть кто.

Я давно уже составил каталог тех, кто посещает такие приемы. Десять процентов — это «партнеры»: люди с правом решающего голоса, выходящие из дому ради Банка

Услуг, внимательные и чуткие ко всему, что может вознаградить их за труды, знающие, где заработать, куда вложить. Они мгновенно понимают, сулит ли «мероприятие» выгоду или нет, и в последнем случае без колебаний уходят, причем — в числе самых первых. Даром времени они не тратят.

Два процента составляют «таланты», у которых и в самом деле — многообещающее будущее, они уже сумели преодолеть кое-какие препоны, уже проведали о существовании Банка Услуг и числятся его потенциальными клиентами: они уже могут оказать важные услуги, но еще не стали теми, кто принимает решения. Они со всеми любезны и учтивы, поскольку в точности не знают, с кем именно разговаривают, и куда более открыты по сравнению с «партнерами», ибо, по их мнению, любая дорога куда-нибудь да приведет.

Три процента составляют те, кого я в честь древнего и воинственного уругвайского племени назвал «тупамарос»: эти умеют внедриться в любую среду, их хлебом не корми — дай пообщаться, они вечно сомневаются, оставаться ли тут или идти на другой вечер, имеющий быть одновременно, они тщеславны и желают с ходу продемонстрировать свои дарования, однако их никто сюда не звал, они, так сказать, еще в предгорьях, и люди перестают обращать на них внимание, как только понимают, с кем имеют дело.

Ну и наконец, 85 процентов — это «подносы», ибо как не бывает вечера без этого предмета утвари, так и без этих людей ни один праздник не обходится. Они не знают толком, по какому случаю торжество, но убеждены в важности своего на нем появления и значатся в списках устроителей, потому что успех всякой затеи зависит и от того, сколько народу примет в ней участие. Как правило, это *бывшие* — бывшие банкиры, бывшие директора, бывшие мужья какой-нибудь знаменитой дамы, бывшие жены какого-нибудь господина, находящегося в зените могущества. Это — титулованные особы из стран, где давно нет монархии, принцессы и маркизы, сдающие в аренду свои замки. Они перепархивают с празднества на торжество, с приема на ужин, и я неустанно спрашиваю себя — как их еще не тошнит от всего этого?

Когда недавно я поделился своим недоумением с Мари, она объяснила мне, что есть люди, зацикленные на работе, а есть — на развлечениях. Те и другие — несчастны, ибо сознают, что теряют что-то важное, но совладать со своим пороком не в силах.

...Я разговариваю с одним из организаторов фестиваля кино и литературы, и ко мне подходит молодая, хорошенькая блондинка с сообщением о том, что ей очень понравилось «Время раздирать и время сшивать». Сообщает, что живет в одной балтийской стране и работает в кино. Немедленно опознается ее принадлежность к разряду *тупамарос*, поскольку обращается к одному (ко мне, в данном случае), а интересуется другим (организаторами фестиваля). Хотя совершена эта почти непростительная ошибка, все еще остается шанс, что она относится к начинающим Талантам. Организаторша осведомляется, что означает выражение «работаю в кино». Блондинка объясняет, что пишет рецензии для одной газеты и что недавно выпустила книгу (Боже, неужто о кино? Да нет, наверняка о себе, о своей короткой и неинтересной жизни).

Тем временем она совершает тягчайший грех — спрашивает, нельзя ли получить приглашение на этот год. Организатор отвечает, что издательница моих книг в этой балтийской стране, дама весьма деятельная и влиятельная (и очень красивая, добавляю я про себя), уже приглашена. Он возобновляет разговор со мной, а блондинка из племени *тупамарос* на несколько минут впадает в растерянность, не зная, как тут быть, а потом ретируется.

Поскольку речь идет о литературной премии, большая часть приглашенных — Таланты, *Тупамарос* и Подносы — принадлежат к артистической среде, а Партнеры делятся на членов попечительских советов и спонсоров, помогающих музеям, симфоническим оркестрам и подающим надежды артистам. И вот ведущий поднимается на сцену, просит всех занять свои места (на столиках расставлены таблички с именами), отпускает несколько шуточек (это часть ритуала, и все мы смеемся) и сообщает, что победители будут названы между закусками и первым блюдом.

Я направляюсь к главному столу: это позволяет мне устроиться подальше от Подносов, но также и не дает возможности общаться с Талантами, исполненными воодушевления, да и вообще — самыми интересными здесь. Место мое оказывается рядом с директрисой фирмы по продаже автомобилей, спонсирующей празднество, и богатой наследницей, решившей вложить средства в искусство, — к моему удивлению, обе дамы не носят вызывающее декольте. Кроме них, за столом сидят: владелец парфюмерной компании, арабский принц (он оказался в это время в Париже, и устроители, заботясь о престиже вечера, затащили его сюда), израильский банкир, коллекционирующий рукописи XIV века, консул Франции в княжестве Монако и белокурая девушка — не знаю, чем она занимается, но подозреваю, что является потенциальной любовницей одного из организаторов.

Надеваю очки и, стараясь, чтобы это получилось незаметно, читаю таблички с именами моих соседок (меня тоже нужно отправить на этом корабле в открытое море и там приглашать на один и тот же вечер раз десять — тогда, может быть, выучу их имена наизусть). Мари, как велит протокол, посадили за другой стол: на каком-то витке мировой истории кому-то пришло в голову, что на официальных банкетах пары должны быть разделены, с тем чтобы в воздухе повисал вопрос: дама по соседству — замужем, одинока или замужем, но доступна. Или, быть может, этот мудрец боялся, что супруги, оказавшись рядом, будут разговаривать исключительно друг с другом — но зачем бы им в таком случае выходить из дому, брать такси, отправляться на банкет?

В полном соответствии с моим списком тем разговор вертится вокруг последних событий «культурной жизни» — «какая замечательная выставка», «какой талантливый критик». Я пытаюсь сосредоточиться на закуске — икра с лососиной и яйцом, — но меня то и дело отвлекают вопросами: как продвигается работа над моей новой книгой, откуда я черпаю вдохновение и каковы мои творческие планы. Все демонстрируют эрудицию, все цитируют — якобы случайно, так, к слову пришлось — какую-нибудь знаменитость, удостаивающую их своей дружбой. Все превосходно умеют скользить по поверхности разговора о политике или о тех проблемах, с которыми сталкивается культура.

— А что, если мы обсудим еще что-нибудь?

Эти слова произносятся будто сами собой. Присутствующие замолкают: в конце концов, это верх невоспитанности: прерывать других, а еще хуже — тянуть, так сказать, одеяло на себя. Однако похоже, что вчерашняя прогулка по улицам Парижа в обществе бродяг произвела на меня роковое действие: я больше не выношу подобных разговоров.

— Вот, например, *примиритель*: то мгновение в нашей жизни, когда мы перестаем двигаться вперед и довольствуемся тем, что имеем.

Особенного интереса не проявляет никто. Что ж, сменю тему:

— А можно поговорить о том, как важно позабыть историю, которую нам рассказывали, и попытаться прожить что-то новое. Каждый день делать что-нибудь непривычное: ну, скажем, заговорить с соседом в ресторане, зайти в больницу, ступить в лужу, попытаться услышать другого человека, заставить Энергию Любви циркулировать свободно, а не закупоривать ее и не хранить где-нибудь в углу.

— Вы имеете в виду адюльтер? — спрашивает устроитель вечера.

— Нет. Это значит, что лучше быть слугой любви, нежели ее хозяином. Это гарантирует нам, что мы спим с кем-то потому, что желаем этого, а не потому, что так принято.

Консул Франции в Монако со всевозможной деликатностью, но и не без иронии объясняет мне, что присутствующие пользуются этим правом и этой свободой. Все соглашаются, хотя никто не верит, что это правда.

— Секс! — восклицает белокурая девушка неопределенных занятий. — Почему же мы не говорим о сексе?! Это гораздо интересней и не так сложно!

По крайней мере, звучит это искренне. Одна из моих соседок издает иронический смешок, но я аплодирую.

— Секс и в самом деле гораздо более интересная тема, однако не думаю, что есть большая разница. Разве не так? И, кроме того, ныне эта тема — не запретная.

— ...хоть и свидетельствует о крайнем упадке вкусов, — вставила одна из моих соседок.

— А можно ли узнать, что же находится под запретом? — устроитель явно чувствует себя неловко.

— Деньги, например. У каждого из нас есть деньги, ну или, по крайней мере, мы делаем вид, будто у нас есть деньги. Мы верим, что нас пригласили сюда потому, что мы богаты, влиятельны, знамениты. Но отчего бы нам не узнать сегодня за ужином, сколько зарабатывает каждый из нас? Раз уж мы так уверены в себе, так значительны, то отчего бы не взглянуть на наш мир непредвзято и увидеть его таким, каков он на самом деле?

— Куда это вы клоните? — спрашивает автомобильная дилерша.

— Да это долгая история: можно начать с Ганса и Фрица, которые сидят в одном из токийских баров, перейти к монголу-кочевнику, который утверждает, что для того, чтобы стать самим собой, нужно позабыть все прежние представления о себе.

— Ничего не понимаю.

— Я ведь ничего и не объяснял. Но вернемся к тому, что нас интересует: я хочу знать, сколько зарабатывает каждый из нас. То есть что значит в денежном эквиваленте сидеть за главным столом?

Повисает пауза. Сотрапезники удивленно смотрят на меня: финансы — это большее табу, чем секс, измены, коррупция, парламентские интриги.

Но арабский принц — то ли ему до смерти надоели приемы и банкеты с пустопорожними разговорами, то ли его доктор сообщил ему, что он недолго протянет, то ли еще по какой причине — вдруг подхватывает тему:

— По решению парламента моей страны я получаю 20 000 евро ежемесячно. Это не соответствует тому, сколько я трачу, однако у меня есть практически неограниченная статья расходов на так называемое «представительство». Это значит, что посольство выделяет мне машину и водителя, одежда, которую я ношу, принадлежит правительству, а когда завтра я полечу в другую европейскую страну, расходы на личный самолет, пилоты, горючее и аэропорт будут возмещены все по той же статье. — И добавил: — Внешность обманчива.

Если принц, будучи за нашим столом самой важной особой, говорил так откровенно и честно, то никто не мог привести его высочество в смущение. Однако нужно, чтобы и остальные приняли участие в игре.

— Затрудняюсь сказать точно, сколько я получаю в месяц, — сказал устроитель вечера, один из классических представителей Банка Услуг, которые называются «лоббистами». — Тысяч десять, наверно, но те организации, которыми я руковожу, тоже выделяют мне «представительские». Я могу оплачивать из них все, что захочу, — обеды и ужины, одежду и авиаперелеты. Хотя личного самолета у меня нет.

Он сделал знак официанту, и наши бокалы вновь наполнились. Настал черед дилерши, которую весь этот разговор занимал все больше и больше.

— Полагаю, что и я зарабатываю примерно столько же. И мои «представительские» тоже не ограничены.

Так по кругу мои соседи говорили о том, сколько получает каждый из них. Самым богатым оказался банкир — он зарабатывает десять миллионов евро в год, не говоря о том, что владеет пакетом акций своего банка и они постоянно растут.

Но белокурая девушка, которую никто нам не представил, отвечать отказалась.

— Это — сугубо личное дело. Никому не интересно.

— Разумеется, никому не интересно, но ведь мы затеяли такую игру, — возразил устроитель.

Девушка стояла на своем. И тем самым продемонстрировала свое превосходство над остальными: так или иначе, она была единственной, у кого оказались секреты. И, взлетев на более высокую ступеньку, оказалась под прицелом презрительных взглядов. Чтобы не чувствовать себя униженной своим жалким жалованьем, она, притворяясь существом загадочным, решила унизить всех вокруг. А того не понимала, что большинство людей здесь живут благодаря этим «представительским», которые могут исчезнуть в любую минуту. Оборвется эта ниточка — и они полетят в пропасть.

Как и следовало ожидать, дело дошло до меня.

— Год на год не приходится. Если я выпускаю новую книгу, то получаю что-то около пяти миллионов долларов. Если — нет, то выходит порядка двух: их я получаю за продление прав на издание тех книг, что сочинил раньше.

— Вы и завели этот разговор, чтобы сказать, сколько вы зарабатываете, — сказала девушка. — Вам не удалось нас потрясти.

Она понимала, что совершила ложный шаг, и теперь, ринувшись в атаку, старалась исправить положение.

— Мне так не кажется, — заметил принц. — Я считал, что столь широко публикующийся писатель должен быть богаче.

Очко в мою пользу. Белокурая девица теперь не раскроет рта до окончания вечера.

Разговор о деньгах поломал целую систему негласных табу, из которых заработок был самым главным. Официант стал появляться еще чаще, бутылки вина пустели с немыслимой быстротой, устроитель/организатор поднялся на сцену необычно оживленным, объявил победителя, вручил ему премию и тотчас вновь включился в разговор, который не прерывался все это время, хотя правила хорошего тона предписывают молчать, когда говорит кто-нибудь другой. И теперь мы рассуждали о том, как лучше всего употребить наши деньги (в большинстве случаев сходились на том, что приобретем «свободное время», будем путешествовать или заниматься каким-нибудь спортом).

Я уже подумывал завести разговор о том, как лучше всего организовать собственные похороны — смерть была таким же табу, как и деньги. Но за столом царило такое веселье, мои сотрапезники были столь общительны и милы, что решил промолчать.

— Мы говорим о деньгах, но не знаем, что это такое, — сказал банкир. — Почему люди внушили себе, что клочок раскрашенной бумаги, пластиковая карточка или монета, изготовленная из самого низкопробного металла, представляют собой какую-то ценность? Или еще: известно ли вам, что ваши деньги, ваши миллионы долларов — это всего лишь электронные импульсы?

Всем это было, разумеется, известно.

— Поначалу богатством было то, что мы видим на наших прелестных соседках, — продолжал он. — Украшения, сделанные из каких-нибудь редкостных материалов, которые легко переносить с места на место, легко считать и делить. Жемчужины, золотой песок, драгоценные камни. Все это доставлялось в какое-нибудь видное место. А потом обменивалось на скотину или пшеницу, но ведь никто не станет таскать мешки с зерном, гнать коров по улицам. Забавно, что мы и сейчас ведем себя как дикари — носим украшения, чтобы показать, как мы богаты, хотя порой украшений у нас куда больше, чем денег.

— Таков племенной обычай, — сказал я. — В мое время молодежь отпускала длинные волосы, а теперь делает себе пирсинг: это позволяет отличить единомышленников.

— А могут ли электронные импульсы даровать нам хотя бы лишний час жизни? Нет. Могут ли заплатить за возвращение тех, кого уже нет с нами? Нет. Могут заплатить за любовь?

— Могут, — игриво отозвалась дилерша.

Тон был шутливый, но в глазах читалась глубокая печаль. Я вспомнил об Эстер и о том, что сегодня утром ответил журналисту. Мы, богатые, могущественные, умные, обвешанные украшениями, снабженные кредитными карточками, знали, что в конце концов все это делается в поисках любви, нежности, ласки, ради того, чтобы быть с тем, кто нас любит.

— Не всегда, — возразил парфюмер, глядя на меня.

— Вы правы, не всегда, — и по тому, как ты на меня смотришь, я понимаю, что ты хочешь сказать: моя жена оставила меня, хоть я и богат. — Ну, скажем, почти всегда. А, кстати, кто из присутствующих за этим столом знает, сколько котов и столбиков изображено на задней стороне десятидолларовой бумажки?

Никто не знал и знать не хотел. Рассуждения о любви омрачили непринужденную атмосферу, и беседа пошла о литературных премиях, выставках, о недавно выпущенном на экраны фильме, о премьере пьесы, прошедшей с большим, нежели ожидалось, успехом.

— Ну, как было за твоим столом?

— Нормально. Как обычно.

— А вот я сумел втравить моих соседей в интересную дискуссию о деньгах. Кончилось, правда, на трагической ноте.

— Когда ты едешь?

— Из дома тронусь в половине восьмого утра. Ты ведь тоже летишь в Берлин, сможем взять одно такси.

— Куда ты едешь?

— Ты же знаешь. Ты не спрашивала меня, но знаешь.

— Знаю.

— Как знаешь и то, что в эту минуту мы говорим друг другу «Прощай».

— Мы можем вернуться в те времена, когда познакомились — мужчина, у которого душа была в клочьях от того, что его бросили, и женщина, сходившая с ума от любви к человеку, живущему рядом. Я могла бы повторить то, что уже сказала тебе однажды: я буду бороться до конца. Я боролась и потерпела поражение. Теперь буду зализывать раны.

— Я тоже боролся и тоже проиграл. И не пытаюсь сшить разодранное. Всего лишь иду до конца.

— Я страдала все это время, ты знал об этом? Я страдаю уже много месяцев, пытаясь показать, как я тебя люблю, как все обретает важность и смысл, если ты рядом со мной. Но теперь я решила — довольно. Кончено. Я устала.

327

В ту ночь в Загребе я перестала защищаться и сказала себе: если будет еще один удар, пусть будет. Пусть я получу нокаут, пусть свалюсь на ринг — ничего, когда-нибудь поднимусь.

— Ты найдешь себе кого-нибудь.

— Разумеется: я — молода, красива, умна и желанна. Но того, что я прожила с тобой, больше пережить не удастся.

— Ты обретешь другие чувства. И знай, хоть можешь и не верить, что я любил тебя, покуда мы были вместе.

— Я не сомневаюсь в этом, но это ни на йоту не приглушает мою боль. И завтра мы уедем отсюда в разных такси — ненавижу прощания, особенно в аэропортах или на вокзалах.

Возвращение на Итаку

— Здесь переночуем, а завтра тронемся в путь верхом. Машина по пескам не пройдет.

Мы сидим в чем-то напоминающем бункер, оставшийся со времен Второй мировой войны. Хозяин с женой и внучкой радушно встретили нас и провели в просто обставленную, опрятную комнату.

Дос продолжал:

— И не забудьте выбрать себе имя.

— Не думаю, что это ее интересует, — ответил Михаил.

— Еще как интересует! Я недавно виделся с вашей женой. Я знаю, о чем она думает, знаю, что ей открылось, знаю, чего она ждет.

Голос Доса звучит одновременно и мягко, и требовательно. Да, я выбрал бы себе имя, я ни на пядь не отклонился бы с уготованного мне пути, я отбросил бы в сторону свою прежнюю историю и вошел бы в легенду — но сейчас я просто-напросто слишком устал.

Не то что устал — а измучен: прошлой ночью спал часа два, не больше — организм еще не успел привыкнуть к чудовищному перепаду во времени. Я прилетел в Алма-Ату в 11 по местному времени, когда во Франции было 6 вечера. Михаил отвез меня в гостиницу, я немного подремал, проснулся на рассвете, глянул на огни внизу, подумал, что в Париже сейчас время ужина, и почувствовал голод, спросил в «рум-сервисе», нельзя ли принести чего-нибудь, и услышал в ответ: «Разумеется, можно, однако лучше бы вам пересилить себя и попытаться уснуть, иначе ваш организм будет по-прежнему жить по европейскому расписанию».

Нет для меня большей пытки, чем тщетные попытки заснуть, и потому я съел бутерброд и решил пройтись. Задал портье всегдашний вопрос: «Опасно ли выходить из отеля в такой час?» Он заверил меня, что нет, и я зашагал по этому пустынному городу — по узеньким переулкам и широким проспектам. Город как город — неоновые вывески, проезжающие время от времени патрульные автомобили, здесь бродяга, там проститутка — так что мне приходилось постоянно повторять себе: «Я — в Казахстане», иначе можно было бы подумать, что я забрел в какой-то незнакомый парижский квартал.

«Я — в Казахстане», — твердил я безлюдному городу, пока чей-то голос не отозвался:

— А где ж еще?

Я испугался. На скамейке сидел в этот глухой час человек, положив рядом рюкзак. Он поднялся, представился: «Ян. Из Голландии» — и добавил:

— И я знаю, что вы здесь делаете.

Приятель Михаила? Или приставленный ко мне агент тайной полиции?

— И что же?

— То же, что и я: проходите Великий Шелковый Путь. Я попал сюда из Стамбула.

Я вздохнул с облегчением.

— Пешком? То есть пересекли всю Азию?

— Мне это было необходимо. Я недоволен своей жизнью, хотя у меня есть деньги, жена, дети и чулочная фабрика в Роттердаме. Было время, когда я знал, ради чего борюсь — обеспечиваю стабильность своей семьи. А теперь — нет: все, что раньше приносило мне удовлетворение, ныне вызывает только досаду и скуку. И вот во имя моего брака, во имя любви к моим детям и к моему делу я решил уделить два месяца себе самому, чтобы взглянуть на свою жизнь со стороны. И это принесло свои плоды.

— Вот уже несколько месяцев я занимаюсь тем же самым. И многие так странствуют?

— Многие. Очень многие. Тут существуют еще и проблемы безопасности, поскольку в некоторых странах — сложная политическая ситуация и их власти подозрительно относятся к выходцам с Запада. И тем не менее я полагаю, что во все века паломники, доказавшие, что они — не шпионы, пользовались уважением. Однако, как я вас понимаю, у вас — другая цель. Что же вы делаете в Алма-Ате?

— То же самое, что и вы: завершаю путь. Вам тоже не удалось заснуть?

— Я только что проснулся. Чем раньше выйдешь, тем больше шансов добраться до ближайшего города, а иначе придется ночевать в степи, а там холодно, и постоянно гуляет ветер.

— Ну что ж, счастливого пути.

— Побудьте со мной еще немного: мне надо выговориться, поделиться впечатлениями. Большинство паломников не говорят по-английски.

И он начал рассказывать мне о своей жизни, покуда я припоминал все, что мне известно о Шелковом Пути, когда-то связывавшем Европу со странами Востока. Обычно он брал начало в Бейруте, шел в Антиохию, а оттуда — к берегу Желтой реки в Китае. Но в Центральной Азии превращался в подобие паутины, разбегаясь в разные стороны множеством тропинок, каждая из которых вела к возникавшим благодаря этой оживленной торговле городам, а те разорялись и опустошались враждующими между собой племенами, отстраивались заново, вновь разорялись и снова воскресали. Хотя двигалось по этому пути едва ли не все — золото, редкостные животные, мрамор, семена, политические идеи, беженцы, спасавшиеся от ужасов междоусобных войн, вооруженные разбойники, частные армии, сопровождавшие караваны, — самым редким и самым вожделенным товаром оставался шелк. Благодаря одному из ответвлений этого пути буддизм из Индии пришел в Китай.

— Я вышел из Антиохии с двумя сотнями долларов в кармане, — сказал голландец, описав мне горы, пейзажи, экзотические племена, постоянные проблемы с патрулями и полицейскими разных стран. — Не знаю, поймете ли вы, что я хочу сказать, но мне нужно было узнать, способен ли я вернуться к самому себе, к истинной своей сути.

— Я понимаю больше, чем вы думаете.

— Я был вынужден нищенствовать, просить подаяния, и люди, к моему удивлению, оказались гораздо милосерднее, нежели мне казалось раньше.

Нищенствовать? Я оглядел его одежду и рюкзак, ища на них знак «племени», но не нашел.

— А вам никогда не случалось бывать в армянском ресторане в Париже?

— Я бывал во многих армянских ресторанах, но только не в Париже.

— А человека по имени Михаил вы не знаете?

— Это распространенное имя. Не помню, может быть, и встречал, но, к сожалению, не могу помочь вам...

— Не в этом дело. Меня удивляют странные совпадения. Похоже, что разные люди в разных частях света размышляют об одном и том же и ведут себя одинаково.

— Прежде всего, отправляясь в такое странствие, мы чувствуем, что никогда не дойдем до цели. Во-вторых, мы чувствуем себя неуверенно, днем и ночью думаем о том, чтобы отказаться от него. Но если неделю продержишься, то дойдешь до конца.

— Я совершаю паломничество по улицам одного и того же города и лишь вчера пришел в какое-то иное место. Разрешите, я благословлю вас?

Он поглядел на меня как-то странно.

— Я странствую не по религиозным мотивам. А вы что — священник?

— Нет, но почувствовал, что должен благословить вас. Сами знаете, не все поддается логике.

Голландец по имени Ян, которого я никогда больше не встречу в этой жизни, склонил голову и закрыл глаза. Я положил ему руки на плечи и на родном языке — невнятном ему и неведомом — попросил, чтобы он благополучно добрался до цели, чтобы оставил на Шелковом Пути печали и ощущение бессмысленности жизни, чтобы вернулся к семье с чистой душой и блестящими глазами.

Он поблагодарил, взял свой рюкзак, обернулся в сторону Китая и зашагал прочь. А я направился в гостиницу, размышляя над тем, что никогда в жизни никого еще не благословлял. Однако последовал безотчетному побуждению, и оно меня не обманет — молитва моя будет услышана.

На следующий день Михаил привел своего друга — его звали Дос, и он должен был нас сопровождать. У Доса была машина, Дос знал мою жену и хотел быть рядом в тот миг, когда я войду в городок, где находилась Эстер.

Я хотел было возразить: сначала — Михаил, потом — его друг, а под конец за мной увяжется целая толпа, которая в зависимости от того, что меня ждет, будет рукоплескать или рыдать. Но я был слишком утомлен, чтобы спорить, и решил отложить до завтра исполнение обета: никто не должен видеть меня в момент встречи.

И вот мы садимся в машину и некоторое время едем по Шелковому Пути. Мои спутники спрашивают, знаю ли я, что это, и я отвечаю, что минувшей ночью встретил паломника. Они мне говорят, что подобный вид путешествий распространяется все шире и в дальнейшем поможет развитию туристического бизнеса в Казахстане.

Через два часа сворачиваем с шоссе на проселочную дорогу и добираемся до того самого «бункера», где мы сидим сейчас — едим рыбу и слушаем негромкий вой ветра в степи.

— Эстер сыграла в моей жизни большую роль, — объясняет Дос, показывая мне фотоснимок одной из своих работ, на которой я могу различить лоскут окровавленной ткани. — Сначала я мечтал уехать отсюда, как сделал Олег...

— Называй меня лучше Михаилом, а не то мы запутаемся.

— Я мечтал уехать отсюда, как многие мои ровесники. Но однажды мне позвонил Олег, то есть Михаил. Сказал, что женщина, сделавшая ему так много добра, решила побывать в степи и хочет, чтобы я ей помог. Я согласился, думая, что это — мой шанс и что она посодействует мне в получении французской визы и работы в Париже. Она попросила меня отвезти ее в маленький глухой городок, в котором побывала во время одного из прошлых своих приездов.

Ни о чем не спрашивая, я подчинился. По пути она потребовала, чтобы мы заехали в дом старика-кочевника, и каково же было мое удивление, когда выяснилось, что речь идет о моем деде. Ее приняли гостеприимно, как водится у людей, живущих в этой бескрайней степи. Старик сказал Эстер, что она думает, будто грустит, а на самом деле душа ее ликует и Энергия Любви циркулирует свободно. Он пообещал ей — скоро эта энергия охватит весь мир, включая и мужа Эстер. Он научил ее многому из того, что входит в понятие «цивилизация степи», а научить остальному попросил меня. Он решил, что она вопреки традиции может оставить себе собственное имя.

И покуда она училась у моего деда, а я учился у нее, мне стало понятно — никуда ехать не надо. Мое предназначение — в том, чтобы остаться в безмерном пространстве степи, познать ее цвета, преобразить их в картины.

— Я не очень понял насчет того, что ты чему-то учил Эстер. Твой дед говорил, что мы должны позабыть все.

— Завтра все покажу, — ответил Дос.

И на следующий день показал, и слова не понадобились. Я увидел необозримую степь, казавшуюся пустыней, но полную скрытой жизни. Увидел ровную линию горизонта, исполинское пустое пространство, услышал стук копыт и негромкий посвист ветра. Вокруг не было ничего — ровным счетом ничего, словно мир выбрал это место, чтобы показать, как он огромен, как прост и в то же время — сложен. Словно хотел, чтобы все мы могли — и должны были — стать такими же, как эта степь, пустыми, бесконечными и полными жизни.

Сняв темные очки, я смотрел в синее небо, чтобы пропитаться этим светом и странным ощущением: будто я — нигде и повсюду. Мы ехали молча, останавливаясь лишь для того, чтобы напоить коней из ручейков, отыскать которые было под силу лишь человеку, превосходно знающему местность. Время от времени в отдалении возникали другие всадники, отары овец с пастухами, врезанные в пространство неба и степи.

Куда я направлялся? Я не знал и не хотел знать: женщина, которую я искал, находилась в этом бесконечном пространстве: я мог прикоснуться к ее душе, услышать, как напевает она за работой. Теперь я понимал, почему она выбрала это место — здесь ничто не отвлекало, здесь царила столь желанная ей пустота, и ветер своим посвистом отгонял печали. Думала ли она, что когда-нибудь я появлюсь здесь на коне, торопясь ей навстречу?

Меж тем с небес нисходит ощущение Рая. И я сознаю, что переживаю незабываемый момент — обычно это сознание посещает нас уже после того, как минет волшебный миг. Вот я стою здесь — весь как есть, без прошлого и без будущего, всецело сосредоточенный на этом утре, на мелодичном перестуке лошадиных копыт, на нежности, с которой обвевает ветер мое лицо, на неожиданной благодати созерцания неба, земли, людей. Я впадаю едва ли не в экстаз, испытывая восторженную благодарность за то, что живу на свете. Я молюсь шепотом, слушая голос природы и понимая, что невидимое всегда проявляется в том, что открывается нашему взору.

Я спрашиваю небеса, точно так же как в детстве спрашивал мать:

Почему мы любим одних людей и ненавидим других?
Куда отправляемся мы после смерти?
Почему мы рождаемся, если все равно умрем?
Что такое Бог?

Степь отвечает ровным гулом ветра. И этого достаточно: чтобы жить дальше, достаточно знать, что на главные вопросы бытия ответов не будет никогда.

Когда на горизонте возникли горы, Дос попросил остановиться. Я заметил, что чуть в стороне протекал ручеек.

— Здесь устроим привал.

Мы развьючили лошадей, поставили палатку. Михаил принялся копать яму.

— Так всегда делают кочевники — сделав отверстие в земле, обкладывают его дно и стенки камнями, и получается очаг: ветер не задувает огонь.

На юге, между горами и нашим лагерем появилось облако пыли. Как я тотчас понял, ее поднимали копыта скачущих галопом коней. Я обратил на это внимание моих спутников: оба вскочили, и я заметил на их лицах тревогу. Но потом, обменявшись несколькими словами по-русски, они успокоились. Дос продолжал ставить палатку, Михаил стал разводить огонь.

— Объясните, что происходит.

— Это только кажется, что мы окружены пустым пространством, — вы заметили, что мы проехали мимо овечьих отар, пастухов, черепах, лисиц, всадников? И хотя возникает ощущение, будто видите все вокруг себя, но откуда взялись эти люди? Где их дома? Где они держат свои стада?

Так вот, пустота эта — мнимая: за нами постоянно наблюдают. Для чужестранца, не знающего языка, на котором говорит степь, все в порядке, и различить он может только коней и всадников.

343

Но мы, прошедшие школу степи, замечаем сливающиеся с пейзажем юрты. Наблюдая за тем, как и куда скачут всадники, мы способны понимать, что происходит вокруг. А в древности выживание целого племени зависело от этой способности, ибо вокруг были враги, захватчики, контрабандисты.

А новость скверная — они поняли, что мы направляемся к деревушке, расположенной у подножья вон тех гор, и послали людей убить колдуна, которому являлись девочки и слышались *голоса*, и человека, осмелившегося нарушить покой женщины-чужестранки.

Он рассмеялся.

— Сейчас поймете.

Всадники приближались. Вскоре я уже начал различать их отчетливо.

— Тут что-то необычное — это женщина, а за нею вдогонку скачет мужчина.

— Это часть нашей жизни.

Женщина, держа в руках длинный хлыст, пронеслась мимо, с улыбкой что-то крикнула Досу — похоже было на «Добро пожаловать!» — и стала галопом носиться вокруг нашего бивака. Мужчина, пытавшийся догнать ее, был весь в поту, но тоже на скаку приветствовал нас улыбкой.

— Нина могла бы быть поучтивее, — заметил Михаил. — Нужды нет.

— Именно потому, что нужды нет, ей и не надо быть учтивой, — возразил Дос. — Достаточно иметь хорошего коня и быть красивой.

— Но она делает это со всеми.

— Я ее спешил, — с гордостью сказал Дос.

— Если вы говорите по-английски, то, наверно, для того, чтобы я понимал?

Женщина скакала все быстрей, и смех ее, казалось, заполнял всю степь радостью.

— Это всего лишь форма обольщения. Называется «куз-куу» или «догони девушку». Каждый из нас в детстве или в юности участвовал в этой забаве.

Преследователь неуклонно приближался, но все мы видели, что его лошадь обессиливает.

— Попозже мы поговорим о *Тенгри*, древней степной культуре, — продолжал Дос. — А сейчас, раз уж вы стали свидетелем этой сцены, позвольте вам объяснить кое-что важное: в наших краях всем верховодят женщины. У нас принято пропускать их вперед. Женщина, даже если это она решила разойтись с мужем, получает половину приданого. Увидев женщину в белом тюрбане, который означает, что она — мать, мы должны в знак почтения прижать руку к сердцу и склонить голову.

— Ну а что такое — «догони девушку»?

— В деревне у подножья гор несколько всадников объединяются вокруг этой девушки: ее зовут Нина, в наших краях она считается самой завидной невестой. И начинается эта игра «куз-куу», возникшая еще в незапамятные времена, когда жительницы степи были наездницами и воительницами. В ту пору никто не сватался к родителям понравившейся тебе девушки. Она и претенденты на ее руку съезжались на конях в условленное место. Девушка ездила вокруг мужчин, дразня их, смеясь, стегая их плетью до тех пор, пока самый храбрый не решался пуститься за нею в погоню. Если девушке удавалось ускользнуть, юноша должен был попросить, чтобы земля укрыла его навсегда — он считался плохим наездником, а это был позор для воина.

Если же кто-то все же осмеливался, не боясь ударов хлыста, приблизиться и ссадить девушку, это доказывало, что он — настоящий мужчина, который получал право поцеловать свою избранницу и жениться на ней. Само собой разумеется, что и теперь, и тогда девушки сами решают, кому даться в руки, а от кого — ускользнуть.

Судя по всему, Нина всего лишь забавлялась. Вот она оторвалась от преследователя и помчалась назад, в деревню.

— Она просто хотела показаться. Знает, что мы приезжаем, и сейчас оповестит об этом всю деревню.

— У меня два вопроса. Первый может показаться глупостью: неужели и сейчас еще так выбирают себе женихов?

Дос ответил, что в наши дни это выродилось в простую забаву. Вроде того как на Западе люди одеваются определенным образом и ходят в бары или модные клубы, в степи флиртом становится «*куз-куу*». Нина уже унизила множество парней, а нескольким дала догнать себя и сбить с лошади — то есть все как на лучших дискотеках мира.

— А второй вопрос — еще более идиотский: и вот в этой деревне у подножья гор находится моя жена?

Дос кивнул.

— А если до нее всего два часа пути, почему мы собираемся заночевать здесь? Еще совсем не поздно.

— Да, до деревни — два часа пути. И — две причины не торопиться. Если бы даже Нина не появилась тут, нас все равно кто-нибудь да заприметил бы и поспешил сообщить Эстер о нашем приближении. Ей решать — хочет ли она видеть нас или на несколько дней уехать в соседнюю деревню. В этом случае мы за ней туда не последуем.

Сердце мое сжалось.

— И это — после всего, что я сделал, чтобы приехать сюда?!

— Не повторяйте этих слов, или вы никогда ничего не поймете. С чего вы решили, что ваши усилия должны быть вознаграждены покорностью, благодарностью, признательностью человека, которого любите? Вы пришли сюда, потому что таков был ваш путь, а не за тем, чтобы покупать любовь своей жены.

Да, все это могло показаться вопиющей несправедливостью, но тем не менее он был прав. Я спросил: «И что же во-вторых?»

— А во-вторых, вы еще не выбрали себе имя.

— Это не важно, — ответил Михаил. — Он не понимает нашей культуры и не является ее частью.

— Для меня — важно, — сказал Дос. — Дед велел мне оберегать чужестранку, помогать ей, как она оберегала меня и мне помогала. Я обязан Эстер тем, что обрел душевный мир, и хочу для нее того же. И потому он должен выбрать себе имя. Должен навсегда позабыть историю своих страданий и мучений, сердцем уверовать, что стал новым человеком, что возродился и будет возрождаться отныне и впредь. Если не сумеет принять это и если они вновь будут жить вместе, то все, из-за чего он так страдал, вернется к нему.

— Я еще вчера ночью выбрал себе имя, — ответил я.

— Что ж, тогда дождитесь темноты и назовите мне его.

Солнце уже склонялось к горизонту, и потому мы двинулись туда, где степь превращалась уже почти в пустыню. Я увидел огромные песчаные горы и услышал странный, ни на что не похожий вибрирующий звук. Михаил объяснил, что это — одно из немногих мест на земле, где дюны поют.

— Когда в Париже я рассказывал об этом, мне поверили только потому, что некий американец подтвердил, что и сам сталкивался с подобным явлением на севере Африки. Таких мест на нашей планете всего около тридцати. В наши дни ученые все объяснили: из-за особенностей формации ветер, пронизывая частицы песка, вызывает такой вот звук. Однако в древности считалось, что это место обладает магическими свойствами, и, поверьте, Дос, именно его выбрав для перемены вашего имени, оказывает вам честь.

Мы начали взбираться по склону одной из этих песчаных гор, и с каждым следующим шагом шум становился громче, ветер задувал сильней. Когда оказались на вершине, горы на юге обрисовались четче. Вокруг нас простиралась бескрайняя равнина.

— Обратитесь лицом на запад и снимите с себя одежду, — сказал Дос.

Не задавая вопросов, я повиновался. Мне было холодно, но мои спутники не обращали на это внимания. Михаил преклонил колени, как для молитвы. Дос, обведя взглядом небо и землю, положил мне руки на плечи — точно так же как вчера я положил руки на плечи голландцу.

— Во имя Госпожи посвящаю тебя. Посвящаю тебя земле, которая и есть Госпожа. Во имя коня посвящаю тебя. Посвящаю тебя миру — пусть он поможет тебе пройти твой путь. Во имя бескрайней степи посвящаю тебя. Посвящаю тебя безграничной Мудрости — пусть будет твой горизонт шире того, который ты видел до сих пор. Ты избрал себе имя и сейчас произнесешь его впервые.

— Во имя бескрайней степи избираю себе имя, — ответил я, не спрашивая, поступаю ли я так, как велит ритуал, — шум ветра в дюнах нашептал мне эти слова.

Много веков назад один поэт описал странствия человека по имени Улисс, который возвращался на свой родной остров Итаку, где ждала его возлюбленная. Он испытал множество опасностей, прошел через множество испытаний — от штормов до искушения привольной и удобной жизнью. И вот настает минута, когда он оказывается в пещере, где обитает одноглазое чудовище — циклоп.

Тот спрашивает, как его имя. «Никто», — отвечает Улисс. В схватке ему удается ослепить циклопа. На крики чудовища прибегают другие циклопы и, заметив, что вход в пещеру завален скалой, спрашивают, кто еще там находится. «Никто! Никто!» — отвечает циклоп, и его товарищи, сочтя, что ему ничто не угрожает, уходят. Улисс же может продолжать свой путь к женщине, которая ждет его.

— Итак, твое имя — Улисс?

— Мое имя — Никто.

Меня сотрясает озноб, кажется, будто в тело вонзаются острые иглы.

— Сосредоточься на том, что тебе холодно, и ты перестанешь дрожать. Пусть холод заполнит все твои мысли, не оставив места ни для чего другого, и тогда он станет тебе спутником и другом. Не пытайся совладать с ним. Не думай о солнце, иначе будет хуже: ты вспомнишь, что существует жара, и холод почувствует, что он — не мил тебе и не желанен.

Мои мышцы напрягаются и расслабляются, чтобы создать энергию и с ее помощью сохранить мой организм живым. Но я поступаю так, как велит Дос, ибо я доверяю ему — его спокойствию, его нежности, его власти. Я позволяю иглам вонзиться в меня, мышцам одеревенеть, а зубам — стучать, и повторяю про себя: «Не сопротивляйтесь, холод — наш друг». Тело не слушается меня, но по прошествии четверти часа дрожь перестает сотрясать мое тело, я впадаю в некое оцепенение и хочу опуститься наземь, однако Михаил подхватывает меня, удерживает на ногах — Бог говорит со мной. Кажется, будто слова его звучат из дальней дали, оттуда, где степь встречается с небесами:

— Добро пожаловать, кочевник, пересекший степь. Добро пожаловать туда, где небо мы всегда зовем голубым, даже если оно пепельно-серое, потому что мы знаем его истинный цвет, скрытый за тучами. Добро пожаловать в край *Тенгри*. Добро пожаловать ко мне, ибо я пришел сюда принять тебя и почтить тебя в твоих поисках.

Михаил сел на землю и дал мне выпить чего-то такого, от чего кровь моя сразу согрелась. Дос помог мне одеться. Мы прошли по склону дюн, о чем-то говоривших между собой, и вернулись в наш лагерь. Еще до того, как мои спутники взялись готовить ужин, я провалился в глубокий сон.

— Что это? Неужели еще не рассвело?

— Давно рассвело. Пыльная буря, ничего страшного. Надень темные очки, защити глаза.

— А где Дос?

— Вернулся в Алма-Ату. Меня растрогала вчерашняя церемония. В общем-то, ему не следовало устраивать ее: для тебя это — потеря времени и риск получить воспаление легких. Надеюсь, ты понимаешь, что таким образом Дос хотел сказать тебе «Добро пожаловать». Подлей масла.

— Я спал слишком долго.

— Тут всего два часа пути верхом. Мы доберемся еще до полудня.

— Мне надо вымыться. И переодеться.

— Это невозможно: кругом — голая степь. Подлей масла в котелок, но сперва предложи его Госпоже: в наших краях масло и соль — самые драгоценные продукты.

— А что такое *Тенгри*?

— Само слово переводится как «культ неба», то есть религия без религии. Здесь проходили буддисты, индуисты, католики, мусульмане, приверженцы разных сект и верований. Кочевники делали вид, что принимают навязываемую им веру, но и прежде, и теперь в основе их религии лежит идея, что Божество — везде и повсюду, его нельзя изъять из природы и поместить в книги или между четырех стен... А я, как только ступил на эту землю, чувствую себя лучше, словно и впрямь нуждался в привычной еде. Спасибо, что взял меня с собой.

— Спасибо, что познакомил меня с Досом. Вчера, во время посвящения, я понял, что это особенный человек.

— Он учился у своего деда, тот — у своего отца, а тот — у своего... Жизнь кочевников, у которых вплоть до конца XIX века не было письменности, требовала появления *акына*, человека, обязанного помнить все события и передавать их из уст в уста. Дос — это такой вот *акын*.

Пойми, когда я говорю «учился», то вовсе не имею в виду «накапливать знание». И рассказываемые ими истории не изобилуют реальными фактами, датами, именами. Это легенды о героях и героинях, о битвах и волшебных животных — это символы не столько деяний человеческих, сколько самой сути человека. Это истории не о победах и поражениях, а о людях, которые ходили по свету, созерцали степь и впускали в себя Энергию Любви. Лей масло медленно, иначе оно будет брызгать во все стороны.

— Я чувствую себя так, словно получил благословение.

— Хотелось бы и мне испытать это чувство. Вчера я навещал мать, она спросила, все ли у меня в порядке, достаточно ли я зарабатываю. Я солгал ей, сказав, что играю в Париже спектакль, идущий с огромным успехом. Сегодня я возвращаюсь к своему народу, и кажется, что только вчера покинул страну, и за все то время, что меня здесь не было, я не сделал ничего значительного. Веду беседы с бродягами, шатаюсь по городу с «племенем», выступаю в армянском ресторане, а что в итоге? — Ничего. Ведь я — не Дос, который учился у своего деда. У меня есть всего лишь при-

сутствие, да и то порой я думаю, что это всего лишь слуховая галлюцинация. Быть может, мои состояния — не более чем предвестие эпилептических припадков.

— Ты только что благодарил меня за то, что я взял тебя с собой, а сейчас кажется, будто это повергает тебя в глубокую печаль. Определись со своими чувствами.

— Я чувствую и то, и это, и мне не надо определяться — я могу плыть между моими противоречиями.

— Вот что я скажу тебе, Михаил. Я тоже испытывал к тебе противоречивые чувства: сначала ненавидел тебя, потом стал принимать, а по мере того, как я следил за твоими шагами, это приятие переросло в уважение. Ты еще молод и потому испытываешь совершенно нормальное чувство, и это чувство бессилия. Не знаю, скольких людей затронула твоя работа, но в одном можешь быть уверен: ты преобразил мою жизнь.

— Но ты хотел всего лишь найти жену.

— Хотел и хочу. Но это желание побудило меня сделать нечто большее, чем пересечь казахские степи: я прошел по своему прошлому, увидел, где ошибся, где остановился, определил то мгновение, когда потерял Эстер, — мгновение, которое мексиканские индейцы именуют «*примирителем*». Я пережил и испытал такое, на что в моем возрасте и надеяться было нельзя. И все это благодаря тому, что ты был рядом и вел меня, хоть, может быть, и сам не всегда сознавал это. И вот еще что. Я верю, что ты слышишь *голоса*. Верю, что в детстве у тебя были *явления*. Я всегда верил во многое, а теперь этот перечень расширился.

— Ты стал совсем другим человеком.

— Совсем другим. Надеюсь, Эстер будет довольна.

— Ты сам-то доволен?

— Разумеется.

— Тогда этого достаточно. Сейчас мы поедим, переждём бурю и тронемся в путь.

— Давай не будем пережидать бурю.

— Будь по-твоему. Едем. Эта буря — не знак свыше, а всего лишь последствие обмеления Арала.

Ярость ветра унялась, лошади бежали бодрее. Мы оказываемся в некоем подобии долины, и пейзаж изменяется разительно — бесконечный горизонт теперь закрыт высокими голыми скалами. Глянув направо, я вижу куст, к каждой ветке которого привязаны ленточки.

— Это здесь!.. Это здесь ты видел...

— Нет. Тот уничтожили.

— А что же это такое?

— Это место, где произойдет нечто очень важное.

Михаил, спешившись, развязывает свой рюкзак, достает нож, отрезает кусок рукава от рубашки, привязывает этот лоскутик к ветке. Глаза его смотрят по-другому, быть может, он ощущает рядом с собой *присутствие*, но я не хочу ни о чем его спрашивать.

Я делаю то же самое — прошу защиты и помощи и тоже ощущаю *присутствие* — это моя мечта, мое долгое возвращение к женщине, которую люблю.

Вновь садимся в седла. Михаил не говорит мне, о чем просил, и я молчу. Минут через пять впереди появляются белые домики маленького поселка. Какой-то человек поджидает нас — он направляется к Михаилу, говорит с ним по-русски. Похоже, они о чем-то спорят.

— Чего он хотел?

— Просил зайти к нему, исцелить его дочь. Нина, наверно, всех оповестила о нашем приезде, а люди постарше еще помнят о моих видениях...

Михаил ведет себя как-то неуверенно. Больше никого не видно — должно быть, все на работе или обедают. По главной улице мы едем к белому зданию, окруженному садом.

— Помни о том, что я сказал тебе сегодня утром. Не исключено, что у тебя и вправду была эпилепсия, но ты отказывался смириться с тем, что болен, и позволил своему бессознательному сплести вокруг этого такую вот историю. Но может быть и так, что ты был послан на землю с неким поручением — учить людей забывать свою личную историю, с открытым сердцем принимать любовь как чистую божественную энергию.

— Не понимаю тебя. Мы знакомы уже много месяцев, и ты всегда говорил только о своей встрече с Эстер. И вдруг с сегодняшнего утра все переменилось — кажется, будто ты думаешь обо мне больше, чем о чем-либо еще. Неужели это ритуал Доса оказал на тебя такое действие?

— Не сомневаюсь в этом.

Я хотел добавить, что меня терзает страх, что я готов думать о чем угодно, только не о том, что произойдет через несколько минут. Что сегодня на свете нет никого великодушнее меня, ибо почти уже достиг своей цели и боюсь того, что ожидает меня, оттого и стремлюсь всем помогать, что хочу показать Богу — я хороший человек и заслуживаю Его милости, которой взыскую так давно и рьяно.

Михаил слез с коня и меня попросил сделать то же самое.

— Покуда ты будешь говорить с Эстер, я зайду к тому человеку, у которого больная дочь.

Он указал на маленький белый домик за деревьями.

— Вон там.

Я изо всех сил старался сохранять самообладание.

— Что она делает?

— Я уже говорил тебе: учится ткать ковры, расплачиваясь за эту науку уроками французского. Как и сама степь, это лишь кажется простым, на самом деле ткачество — целая наука: красители изготовляют из определенных растений, которые следует срезать в определенный час, иначе они потеряют свои свойства. Овечью шерсть расстилают на полу, смачивают теплой водой, и нити готовят, пока шерсть еще влажная. Лишь спустя много дней, когда солнце все высушит, начинается изготовление ковра. Последние узоры делают дети — пальцы взрослых не могут справиться с такими тонкими и маленькими узелками.

Он помолчал.

— Только не говори глупостей об эксплуатации детей — такова наша древняя традиция, которой мы следуем неукоснительно.

— А как она?..

— Не знаю. Я не разговаривал с ней месяцев шесть.

— Михаил, а ведь ковры — это еще один знак свыше.

— Ковры?

— Ну да! Вспомни, как вчера, когда Дос спросил, какое имя я изберу, я рассказал историю воина, который возвращается на остров к своей возлюбленной. Название острова было Итака, имя женщины — Пенелопа. Когда Улисс отправился на войну, чем занималась Пенелопа? — Она тка-

360

ла! Но муж все не возвращался, и она по ночам распускала сделанное за день, чтобы утром снова взяться за работу. К ней сватались женихи, но она мечтала лишь о возвращении своего мужа. И вот, когда она устала ждать и решила в последний раз распустить ткань, наконец появился Улисс.

— Но так уж вышло, что эта деревенька — не Итака. А эту женщину зовут не Пенелопа.

Михаил не понял мою историю, и не стоило объяснять, что я всего лишь привожу ему пример. Я отдал ему коня и пешком прошел сто шагов, отделявшие меня от той, кто была мне когда-то женой, превратилась в *Заир*, а теперь вновь должна была стать возлюбленной, о которой грезят мужчины, возвращающиеся с войны или работы.

Я мерзок сам себе. Весь в песке и в поту, хотя совсем не жарко.

Стоит ли предаваться размышлениям о своей внешности — есть ли на свете что-нибудь более поверхностное? Можно подумать, я проделал этот долгий путь на свою собственную Итаку, чтобы предстать перед возлюбленной в новой одежде. Проходя эти последние сто шагов, я должен сделать над собой усилие и подумать обо всем том значительном и важном, что случилось за то время, что Эстер не было со мной.

Что я должен сказать, когда увижу ее? Я много раз думал об этом, и в голову мне приходили слова вроде «я так долго ждал этой минуты», или «я понял, что был неправ», или даже «ты хороша как никогда».

И решил ограничиться словом «Привет». Словно она никуда не исчезала. Словно с ее исчезновения минули всего лишь сутки, а не два года, девять месяцев, одиннадцать дней и одиннадцать часов.

И она поймет, как я изменился, пройдя там, где бывал раньше, и там, где никогда не бывал — даже не подозревал о существовании таких мест, да и дела мне до них не было. Я видел лоскут окровавленной ткани в руке нищего, в руках посетителей армянского ресторана, художника, моего врача, юноши, уверявшего, что он слышит голоса и что ему предстают видения. Следуя за Эстер, я узнавал женщину, на которой был женат, я заново открыл для себя смысл жизни, столь сильно изменившейся, а теперь меняющейся снова.

За столько лет брака я так и не узнал толком свою жену: я создал некую «лав-стори», подобную тем, какие видел в кино, по телевидению, о каких читал в журналах. И в моем варианте этой «любовной истории» любовь росла, достигала определенной величины, и с этого момента следовало только поддерживать в ней жизнь, ухаживать, как за цветком, — поливать, обрезать сухие листья. «Любовь» сделалась синонимом нежности, надежности, престижа, комфорта, успеха. «Любовь», как на другой язык, переводилась на улыбки, на слова вроде «я люблю тебя» или «обожаю, когда ты возвращаешься домой».

Но все оказалось куда запутанней, чем я полагал: иногда я с ума сходил от любви к Эстер, пересекая улицу, а достигнув противоположного тротуара, горевал, что лишен свободы, грустил, что обременен обязательствами, рвался на поиски нового приключения. И думал: «Я больше не люблю ее». А когда любовь, возвращаясь, охватывала меня с прежней силой, — не верил, сомневался, твердил себе: «Это всего лишь привычка».

А Эстер, вероятно, одолевали те же сомнения, и, быть может, она повторяла себе: «Что за чушь, мы счастливы», «Мы будем жить, как жили». Да и немудрено: она ведь смотрела те же фильмы и телесериалы, читала те же романы. И хотя нигде не говорилось, будто любовь — это нечто гораздо большее, нежели «хеппи-энд», почему бы, в сущности, не стать к самой себе более терпимой? Если каждое утро повторять, что доволен своей жизнью, можно не сомневаться: не только сам уверуешь, но и заставишь поверить в это всех, кто вокруг.

Однако она думала иначе. Думала и поступала. И пыталась показать мне, а я не видел. Понадобилось лишиться ее, чтобы осознать: обретение утраченного — это мед, что слаще новых ощущений. И вот я здесь, я иду по улочке маленького, спящего, холодного городка, заново свершая путь ради нее. Первая и самая прочная нить опутывавшей меня паутины — «все истории любви одинаковы» — порвалась в тот миг, когда я попал под мотоцикл.

В больнице любовь говорила со мной: «Я — все и ничего. Я подобна ветру и не могу проникнуть туда, где наглухо закрыты окна и двери».

Я отвечал ей: «Но я открыт для тебя!»

А она отвечала: «Ветер есть движение воздуха. В твоем доме есть воздух, но он недвижим. Мебель покрывается пылью, сырость портит картины, пятнает стены. Ты продолжаешь дышать, ты познаешь часть меня, но ведь я не часть, я — Все, и этого ты не постигнешь никогда».

Да, я замечал пыль на шкафах и плесень на стенах и сознавал, что есть лишь один способ избавиться от этого — настежь распахнуть двери и окна. И когда я сделал это, ветер смёл все. А я хотел сберечь свои воспоминания, сохранить то, что, как мне казалось, было приобретено ценой стольких усилий. Но все это исчезло, и я стал пуст, словно степь.

И снова я понял, почему Эстер решила приехать сюда: я был пуст, словно степь.

Именно поэтому ворвавшийся ветер принес с собой новое — никогда прежде не слышанные звуки и людей, с которыми я никогда прежде не говорил. Я обрел былое воодушевление, ибо сумел освободиться от своей личной истории, уничтожил «*примиритель*», открыл в себе человека, способного благословлять других, как кочевники и колдуны благословляют подобных себе. Я понял, что я гораздо лучше, что способен на большее, чем считал раньше, и что возраст сказывается лишь на тех, кто никогда не находил в себе отваги самому определять скорость своего шага.

Однажды женщина заставила меня совершить долгое странствие навстречу моей мечте. Много лет спустя та же самая женщина вновь отправила меня в путь: на этот раз — чтобы встретиться с человеком, который заблудился.

И вот теперь я думаю обо всем — но только не о главном. Я что-то напеваю про себя, я удивляюсь, почему не видно припаркованных у тротуаров машин, я замечаю, что ботинок жмет, а часы на запястье показывают европейское время.

И все это — потому, что моя жена, женщина, которая вела меня по жизни и освещала ее своей любовью, находится в нескольких шагах, и я хватаюсь за любую возможность сбежать от действительности, которую так отчаянно искал и которой боюсь взглянуть в глаза.

Присаживаюсь на крыльце дома, закуриваю. Думаю, не вернуться ли во Францию: я ведь уже пришел, куда хотел, зачем же теперь идти дальше?

Поднимаюсь, чувствуя, что ноги — как ватные. И вместо того, чтобы двинуться назад, стараюсь стряхнуть песок с одежды, вытереть запыленное лицо. Потом берусь за щеколду и вхожу.

Хоть и знаю, что, быть может, навсегда потерял свою любимую, мне надо сделать над собой усилие, чтобы принять благодать, посланную сегодня Богом. Благодать не прибережешь на черный день. Нет такого банка, куда можно положить ее на депозит, чтобы использовать потом, когда снова будешь с самим собой в мире. Если немедля не извлечешь из нее доход, она пропадет.

Господь знает, что мы — художники жизни. И посылает нам то молоток и резец — ваять скульптуры, то кисти и краски — писать картины, то бумагу и ручку — просто писать. Но никогда не смогу использовать резец для картины, а кисть — для статуи. И потому, как это ни трудно, я должен принимать маленькие благодати, хоть они и кажутся мне проклятьями, ибо я страдаю, а день — хорош, сияет солнце и на улице распевают дети. Только так я сумею отрешиться от моего страдания и воссоздать мою жизнь.

Свет заполнял всю комнату. Когда я вошел, Эстер подняла глаза, улыбнулась и продолжила чтение «Времени раздирать и времени сшивать». Она читала вслух женщинам и детям, сидевшим на полу и ткавшим разноцветные ковры. Когда она замолкала, они хором повторяли фрагмент, не отрываясь от работы.

К горлу подступил комок. Я с трудом сдержал слезы и впал с этой минуты в некое бесчувствие. Я лишь смотрел на происходящее, слушал, как слетают с ее уст написанные мною слова, а вокруг был свет, краски, люди, всецело погруженные в свое занятие.

И в конце концов, как сказал персидский мудрец, любовь — это недуг, от которого никто не хочет избавляться. Пораженный им не спешит выздороветь, страдающий не желает исцеления.

Эстер закрыла книгу. Люди вскинули головы и увидели меня.

— Ко мне приехал друг, — сказала она. — Сегодня больше занятий не будет.

Все рассмеялись, приветствуя гостя. Эстер подошла, поцеловала, взяла за руку, и мы вышли.

— *П*ривет, — сказал я.

— Я ждала тебя, — отвечала она.

Я обнял ее, склонил голову к ней на плечо и заплакал. Она поглаживала мои волосы, и по тому, как она это делала, темное стало для меня внятным, неприемлемое — необходимым.

— Я ждала и так, и эдак, — сказала она, увидев, что поток слез иссякает. — Ждала, как отчаявшаяся женщина, которая знает, что ее муж никогда не понимал ее действий и никогда не придет за ней сюда, а потому надо сесть в самолет, вернуться, чтобы при следующем срыве бежать и снова вернуться, бежать и возвращаться, бежать и возвращаться...

Ветер стих, деревья заслушались Эстер.

— Ждала, как Пенелопа — Улисса, Джульетта — Ромео, Беатриче — Данте. Пустота степи наполнялась воспоминаниями о тебе, о минутах, проведенных с тобой, о городах, увиденных вместе. О наших радостях и ссорах. И тогда я оглянулась назад, на ту тропинку, которую прошла, — и не увидела тебя. Я сильно страдала. Я поняла, что проделала путь, откуда нет возврата, а раз так, остается только идти вперед. И я попросила кочевника — пусть научит меня забыть мою личную историю, пусть откроет меня любви, присутствующей везде и всюду. Так я начала постигать вместе с ним учение *Тенгри*. И однажды, повернув голову, увидела эту любовь — она светилась в глазах мужчины. Это был художник по имени Дос.

Я не произнес ни слова.

— Рана моя была глубока. Я не могла поверить, что когда-нибудь смогу полюбить снова. Он был немногословен — учил меня русскому языку и рассказывал, что в степи, описывая небо, употребляют слово «голубое», даже если оно свинцово-серое, ибо знают, что за тучами оно остается голубым. Он взял меня за руку и помог перебраться через эти тучи. Он научил меня полюбить себя, а уж потом — его. Он показал мне, что мое сердце служит мне самой и Богу, а не другим.

Он сказал, что мое прошлое всегда будет неразлучно со мной, но если мне удастся отринуть события, сосредоточившись лишь на чувствах, то я пойму — в настоящем всегда есть огромное, как степь, пространство, которое можно заполнить любовью и радостью бытия.

И наконец, он объяснил мне, что страдание начинается в тот миг, когда мы ждем, что другие будут любить нас так, как мы воображаем, а не так, как хочет выразить себя сама любовь — она свободно, без принуждения, влечет нас своей силой и не дает остановиться.

Я поднял голову и взглянул ей в глаза.

— И ты его любишь?

— Любила.

— И продолжаешь любить?

— И ты считаешь, что это возможно? Что я, любя другого и зная о твоем скором появлении, оставалась бы здесь?

— Наверно, нет. Наверно, ты все утро ждала, когда откроется дверь.

— Тогда зачем ты спрашиваешь?

От ощущения собственной неуверенности, подумал я. Но то, что она хотя бы попыталась снова найти любовь, — прекрасно.

— Я беременна.

На секунду — не больше — мне показалось, что мир раскололся и рухнул мне на голову.

— От Доса?

— Нет. От того, кто пришел, а потом ушел прочь.

Я засмеялся, хотя сердце сжалось.

— Так или иначе, тебе нечего делать здесь, на краю света.

— Это — не край света, — засмеявшись, отвечала она.

— Я думаю, пора возвращаться в Париж. Мне звонили из твоей редакции, спрашивали, не знаю ли я, где ты находишься. Они хотят, чтобы ты отправилась с одним из патрулей войск НАТО по Афганистану и сделала об этом репортаж. Надо ответить, что это невозможно.

— Почему же невозможно?

— Но ведь ты беременна! Ты что же — хочешь, чтобы ребенок, еще не родясь, начал получать отрицательную энергию, которую несет с собой война?

— Ты полагаешь, ребенок помешает мне работать?! И потом, ты-то что всполошился?! Ты к этому не имеешь отношения!

— То есть как это? Разве не благодаря мне ты оказалась здесь? Неужели этого мало?

Эстер достала из кармана своего белого платья лоскут ткани, на котором запеклась кровь, и со слезами на глазах протянула его мне.

— Возьми. Я так соскучилась по нашим ссорам.

И добавила, чуть помолчав:

— Пусть Михаил достанет еще одну лошадь.

Я поднялся, обхватил плечи Эстер и благословил ее — так же как благословляли меня.

От автора

Я написал «Заир», совершая свое собственное паломничество по этому миру с января по июнь 2004 года. Части книги создавались в Париже, Сен-Мартене (Франция), Мадриде, Барселоне (Испания), Амстердаме (Голландия), на автостраде (Бельгия), в Алма-Ате и в степи (Казахстан).

Хочу поблагодарить моих французских издателей Анн и Алена Каррьеров, взявших на себя труд обеспечить меня сведениями относительно французских законов, которые упоминаются в этой книге.

Впервые упоминание о Банке Услуг встретилось мне в романе Тома Вулфа «Костры амбиций». История о Гансе и Фрице в Токио (ее вспоминает Эстер) приведена в книге Дэниела Куинна «Измаил». Мистик, на которого ссылается Мари, говоря о том, что все мы должны быть бдительны, — это Кенан Рифай. Большая часть диалогов, которые ведут в Париже члены «племени», были пересказаны мне молодыми людьми, принадлежащими к аналогичным группам. Некоторые из них помещали свои тексты в Интернете, но установить авторство не представляется возможным.

Стихотворение, выученное главным героем в детстве (он вспоминает его в больнице), принадлежит перу бразильского поэта Мануэла Бандейры и называется «Созвучие». Кое-какие замечания Мари — после той сцены, когда герой отправляется на вокзал встречать американского актера, — родились из разговора с Агнетой Сьодин, шведской актрисой. Концепция необходимости «стирания личной истории», хоть и является частью многих ритуалов инициации, подробно обоснована в книге Карлоса Кастанеды «Путешествие в Икстлан». «Закон Янта» сформулировал датский писатель Аксель Сандемозе в романе «Беглец переходит границы».

Дмитрий Воскобойников и Евгения Доцук — люди, дружбой с которыми я очень горжусь и которые сделали мой визит в Казахстан возможным.

В Алма-Ате я смог встретиться с Имангали Тасмагамбетовым, автором книги «Кентавры Великой Степи» и превосходным знатоком местной культуры, который предоставил мне необходимые сведения относительно политической и культурной ситуации в Казахстане прежде и теперь. Я признателен также президенту этой страны Нурсултану Назарбаеву за радушный прием. Пользуюсь случаем выразить ему свое восхищение тем, что он не стал продолжать ядерные испытания в своей стране, хотя и располагал всей необходимой технологией для этого, и предпочел ликвидировать весь атомный арсенал.

И наконец, приношу искреннюю благодарность тем трем людям, которые сделали возможными волшебные впечатления от степи, — моим терпеливым спутникам: Кайсару Алимкулову, талантливому художнику Досу (Досболу Касимову), который вдохновил меня на создание персонажа, носящего то же имя, и Марии Нимировской, моей переводчице, очень скоро ставшей моим другом.

Алхимик

Каждые несколько десятилетий появляется книга, которая навсегда меняет жизни ее читателей. «Алхимик» Пауло Коэльо стал такой книгой. В мире было продано больше 27 миллионов экземпляров этого романа, и «Алхимик» уже обрел статус современной классики.

Это история Сантьяго, юного андалусского пастуха, который мечтает путешествовать по миру в поисках самого чудесного сокровища, какое только было найдено когда-нибудь. Он проходит путь из своего дома в Испании на экзотические рынки Танжера, а затем через пустыни Египта, где его ждет судьбоносная встреча с алхимиком.

«Алхимик» — преображающая читателя книга о мудрости, о необходимости слушать свое сердце, читать знаки, рассыпанные по жизненному пути, и, прежде всего, — следовать своей мечте.

Вероника решает умереть

Казалось бы, у Вероники есть все, что она только могла пожелать. Она молода и красива, у нее множество симпатичных поклонников, с которыми она веселится, есть постоянная работа, любящая семья. Однако Вероника не счастлива — чего-то не хватает в ее жизни. Утром 11 ноября 1997 года она решает умереть. Девушка принимает сверхдозу снотворного, но спустя некоторое время просыпается в Виллете, местной больнице. Там ей сообщают, что, хотя она и осталась в живых, у нее больное сердце и жить ей осталось всего несколько дней...

На протяжении этих немногих дней Вероника, к своему удивлению, обнаруживает себя втянутой в бурную жизнь Виллете. Она становится более внимательной и интересуется другими пациентами. Ее взаимоотношения с людьми в прошлом кажутся ей более понятными, и она начинает осознавать, почему жизнь казалась ей бессмысленной.

В этом стрессовом состоянии Вероника обнаруживает в себе то, что она никогда прежде не позволяла себе чувствовать: ненависть, страх, любопытство, любовь — и даже переживает сексуальное пробуждение. Наперекор всем предрассудкам, она обнаруживает, что полюбила и снова хочет, если это только возможно, жить...

Дьявол и сеньорита Прим

В маленьком горном селении Вискос появляется незнакомец. За плечами у него рюкзак, в котором лежат ноутбук и одиннадцать слитков золота. Он пришел в поисках ответа на вопрос, мучающий его: человеческие существа по природе своей склоняются к добру или злу?

Оказав гостеприимство пришельцу, вся деревня становится участником сложного сценария, который он придумал и под знаком которого пройдет вся их жизнь.

В этом ошеломляющем романе необычный герой Пауло Коэльо ставит город перед необходимостью сделать моральный выбор, и может быть, они никогда не оправятся от последствий своих решений. Полный очарования рассказ о человеческой душе, «Дьявол и сеньорита Прим» показывает реальность добра и зла внутри нас всех и уникальную способность человека выбирать между ними.

Пятая гора

Спасаясь от преследования, 23-летний Илия вместе с молодой вдовой и ее сыном находит убежище в прекрасном городе Акбар. Пытаясь сохранить здравомыслие в хаосе окружающей его тирании и войны, он теперь еще вынужден выбирать между своей новообретенной любовью и всеподавляющим чувством долга.

Описывая драмы и интриги колоритного и хаотичного мира Ближнего Востока, Пауло Коэльо превращает судьбу Илии в универсальную, волнующую и вдохновляющую историю, одну из тех, что со всей мощью показывают, как любовь и вера в конечном счете могут одержать победу над страданием.

Книга воина света

«Книга воина света» — это призыв каждому из нас жить своей мечтой, принять неоднозначность мира и тянуться к тому, чтобы найти свою собственную уникальную судьбу. В своем неподражаемом стиле Пауло Коэльо помогает нам обнаружить воина света в каждом из нас.

Вдохновляющие короткие притчи приглашают нас вступить на путь воина света, того, кто ценит чудо жизни, того, кто принимает неудачи, того, чьи поиски ведут его к становлению собственной индивидуальности.

На берегу Рио-Пьедра
села я и заплакала

Роман «На берегу Рио-Пьедра села я и заплакала» — это история Пилар, независимой, практичной, но мятущейся молодой женщины, которая утомлена рутиной университетских будней и ищет более глубокого смысла в жизни.

Душу Пилар переворачивает встреча с другом детства, теперь красивым и интригующим преподавателем, по слухам почти чудотворцем. Он сопровождает ее в путешествии по французским Пиренеям, волшебному краю, который издавна был домом святым провидцам и волшебству.

Великая цель всякого человеческого существа — осознать любовь. Любовь — не в другом, а в нас самих, и мы сами ее в себе пробуждаем. А вот для того, чтобы ее пробудить, и нужен этот другой. Вселенная обретает смысл лишь в том случае, если нам есть с кем поделиться нашими чувствами.

Как правило, эти встречи происходят в тот миг, когда мы доходим до предела, когда испытываем потребность умереть и возродиться. Встречи ждут нас — но как часто мы сами уклоняемся от них! И когда мы пришли в отчаяние, поняв, что нам нечего терять, или, наоборот, чересчур радуемся жизни, проявляется неизведанное, и наша галактика меняет орбиту.

Литературно-художественное издание

ПАУЛО КОЭЛЬО
Заир

Перевод: *А. Богдановский*
Редактор *И. Старых*
Корректоры:
Е. Введенская, Т. Зенова, Е. Ладикова-Роева, О. Сивовок
Оригинал-макет: *И. Петушков*
Художник *В. Ерко*

Издательство «София».
04073, Украина, Киев-73, ул. Фрунзе, 160.

ООО Издательский дом «София».
109028, Россия, Москва, ул. Воронцово поле, 15/38, стр. 9

ЛР № 1027709023759 от 22.11.02.
Подписано в печать 14.03.2005.
Формат 70×100/32. Усл. печ. л. 15,56.
Тираж 300 000 экз. Заказ № 625.

Отделы оптовой реализации издательства **«СОФИЯ»**
в Киеве: (044) 492-05-10, 492-05-15
в Москве: (095) 105-34-28
в Санкт-Петербурге: (812) 235-51-14
Книга — почтой
в России: тел.: (095) 476-32-52, e-mail: kniga@sophia.ru
в Украине: тел.: (044) 513-51-92, 01030, Киев, а/я 41,
e-mail: postbook@sophia.kiev.ua, http://www.sophia.kiev.ua

Отпечатано с диапозитивов в ФГУП «Печатный двор»
Министерства РФ по делам печати, телерадиовещания
и средств массовых коммуникаций.
197110, Санкт-Петербург, Чкаловский пр., 15.

3 1901 05408 3672